Cuidado vigilante

CIP-BRASIL. CATALOGAÇÃO NA PUBLICAÇÃO
SINDICATO NACIONAL DOS EDITORES DE LIVROS, RJ

M322c
Marra, Marlene Magnabosco
Cuidado vigilante : intervenção psicossocial com famílias em situação de maus-tratos e violência sexual / Marlene Magnabosco Marra. – 1. ed. – São Paulo : Ágora, 2020.
120 p. ; 21 cm.

Inclui bibliografia
ISBN 978-85-7183-275-6

1. Violência doméstica. 2. Vítimas de abuso sexual. 3. Violência - Aspectos psicológicos. 4. Crime sexual contra crianças. I. Título.

20-66900 CDD: 364.15554
CDU: 364.633-053.2

Meri Gleice Rodrigues de Souza – Bibliotecária - CRB-7/6439
05/10/2020 08/10/2020

Cuidado vigilante

Intervenção psicossocial com famílias em situação de maus-tratos e violência sexual

Marlene Magnabosco Marra

EDITORA ÁGORA

CUIDADO VIGILANTE
Intervenção psicossocial com famílias em situação de maus-tratos e violência sexual

Editora executiva: **Soraia Bini Cury**
Assistente editorial: **Michelle Neris**
Projeto gráfico: **Crayon Editorial**
Capa: **Alberto Mateus**
Imagem de capa: **Pezibear/Pixabay**
Diagramação: **Spress Diagramação & Design**

Editora Ágora
Departamento editorial
Rua Itapicuru, 613 – 7º andar
05006-000 – São Paulo – SP
Fone: (11) 3872-3322
http://www.editoraagora.com.br
e-mail: agora@editoraagora.com.br

Atendimento ao consumidor
Summus Editorial
Fone: (11) 3865-9890

Vendas por atacado
Fone: (11) 3873-8638
e-mail: vendas@summus.com.br

Impresso no Brasil

SUMÁRIO

Aprendemos a voar como os pássaros e a nadar como os peixes,
mas não aprendemos a conviver como irmãos.
MARTIN LUTHER KING JR.

PREFÁCIO

Este livro de Marlene Marra apresenta o primeiro protocolo do cuidado vigilante para famílias vítimas de abuso sexual. Tal trabalho pioneiro constitui uma importante contribuição à prática segundo os métodos da resistência não violenta. As ideias desse protocolo surgiram em uma série de encontros entre mim e Marlene durante os meses que ela passou em Israel. Para mim, esses encontros foram uma aventura especial, tanto por me haverem propiciado um conhecimento mais direto desse tipo de violência quanto porque me aproximaram do ambiente brasileiro, o que me fazia uma falta profunda, pois vivo em Israel desde os 18 anos de idade. Assim, foi com grande prazer que recebi o convite para prefaciar este livro.

Na leitura, encontrei coisas que eu conhecia bem e outras totalmente novas para mim. Fiquei contente de ver como a ideia do apoio telefônico feito por estagiários foi utilizada nesse protocolo. Esse apoio, utilizado em Israel, não se generalizou na aplicação da resistência não violenta em outros países. Para mim, esse é um elemento importante, porque cria um paralelo entre o nosso objetivo de aumentar a presença parental e o exemplo que damos de uma presença terapêutica constante. Os estagiários que telefonam às famílias semanalmente transmitem mensagens como "estamos aqui", "pensamos em vocês", "lembrem-se de nós".

Fiquei emocionado quando li as mensagens e soube do presente simbólico dado pelas mães aos seus filhos: uma pulseira. Lembro-me de quando Marlene falou dessa manifestação muito especial de presença, que está lá, o tempo todo, no braço da criança.

Também gostei muito de ver quanto a nossa abordagem pode ganhar quando aliada ao psicodrama. A utilização de um ego auxiliar para aprofundar o diálogo e enfatizar as mensagens de presença é para mim um exemplo de integração terapêutica bastante convincente. Fiquei bastante satisfeito de ver a importância que esse protocolo confere à mobilização de apoiadores de fora da família nuclear.

Creio que a publicação deste livro será um bom ponto de partida para que os leitores em geral – e os profissionais brasileiros, em particular – comecem a conhecer nossa abordagem e suas aplicações não só com famílias vítimas de abuso sexual e maus-tratos, mas também com todos os outros problemas e tipos de violência que tratamos. Esta obra está sendo lançada em paralelo com o livro *Pais corajosos*, escrito por mim e por Heloisa Fleury e publicado pela Editora Ágora. Espero que os dois se promovam e se engrandeçam mutuamente!

Agradeço a Marlene por ter-me dado a oportunidade de trabalhar com ela e também por ter-me ajudado a reencontrar o Brasil e o público brasileiro.

HAIM OMER
Tel Aviv, julho de 2020

APRESENTAÇÃO

Há uma fenda em tudo. É assim que a luz entra.
LEONARD COHEN

Poucos temas são tão desafiadores para famílias e profissionais como a violência e o abuso sexual, sobretudo quando praticados contra crianças e adolescentes. Cerceados pelo silêncio, pelo medo e pela vergonha, crianças e adolescentes submetidos a práticas abusivas, assim como suas famílias, que deveriam garantir-lhes proteção e cuidado, acabam vivendo sentimentos de impotência e imobilismo. Sem saber o que está acontecendo, o que fazer, como fazer, com medo das consequências de uma denúncia, as famílias que poderiam protegê-los e romper o ciclo de violência e abuso acabam por perpetuá-lo ao ocultar os atos e até mesmo o sofrimento.

A violência começa quando se encerra a palavra. Se as vítimas de violência perdem a voz e a vez, não há como tornar públicos os maus-tratos, de modo que elas se submetem a relações de poder que causam danos ao corpo e à alma. Quando crianças e adolescentes são diretamente atingidos, tal ocultação viola seus direitos básicos de cidadãos previstos no Estatuto da Criança e do Adolescente (Brasil, 1990).

Quando ocultam os fatos e se isolam, as famílias deixam de respeitar e proteger os filhos e de lhes garantir um desenvolvimento saudável, em condições de segurança e afeto. O que atinge um familiar acaba por atingir toda a família de alguma forma.

Portanto, para combater as práticas abusivas, temos de ampliar o foco para incluir, além da própria criança e do adolescente, sua família e a dinâmica de suas relações. Assim, qualquer iniciativa precisa contar com a colaboração de diferentes esferas sociais. Da justiça à educação e à saúde, pressupõe-se uma ação conjunta que avalie a complexidade do fenômeno e otimize o alcance e a eficácia do cuidado e da prevenção.

Profissionais da área da saúde, como Marlene Marra e eu, no contato direto com crianças, adolescentes e famílias submetidos a violência e abuso, muitas vezes também sofrem o impacto dessa situação desafiadora, o que dificulta uma intervenção eficiente. É necessário ter um cuidado especial ao trabalhar com situações traumáticas para que crianças e adolescentes, ao entrar mais uma vez em contato com suas histórias de dor, não sofram novo trauma. Não é fácil para famílias, profissionais e crianças e adolescentes falar desses acontecimentos. É como se arrancássemos cascas de feridas. Marlene considera que, no Brasil, as crianças mandadas a instituições de saúde para tratar abusos sexuais não raro são atendidas muito tempo depois do ocorrido, o que as faz reviver histórias que prefeririam ver apagadas. A atuação nessa área exige a formação de equipes que trabalhem de forma organizada e harmônica, cuidando para não aumentar o sofrimento das vítimas e potencializando o alcance de ações que não teriam o mesmo efeito na solidão.

Com longa experiência como terapeuta familiar e psicodramatista e na área da violência e do abuso, na qual desenvolveu sua pesquisa de doutorado, Marlene Marra publica agora esta obra, em que apresenta seu programa de cuidado vigilante (CV), criado em parceria com Haim Omer.

Nas palavras da autora, cuidado vigilante é sinônimo de presença parental na vida dos filhos, construindo um caminho de conversas respeitosas e colaborativas para adentrar um terreno de difícil acesso. Ao favorecer a proximidade das relações e o diálogo, o CV previne a violência parental por abandono ou negligência. Por outro lado, ao promover relações assertivas mas respeitosas, oferece alternativas às ações de controle e autoritarismo dos pais, as quais muitas vezes perpetuam a violência.

O protocolo desenvolvido pela autora para a intervenção psicossocial contribui para o empoderamento de pais, mães, avós e outros adultos envolvidos no cuidado de crianças e adolescentes, colocando-os no centro da iniciativa – uma presença que, no exercício da autoridade, se põe a serviço da orientação e do desenvolvimento dos filhos.

Outra consideração importante é que o CV, metodologia singular e inédita, apresenta-se como um instrumento de amplo alcance, podendo ser útil para populações com múltiplas vulnerabilidades, em diversos contextos institucionais, inclusive públicos, conectando a ação terapêutica ao cotidiano da vida das famílias. Focado não nas perdas decorrentes do abuso, mas nos ganhos possíveis pela convivência familiar, o CV promove o fortalecimento de vínculos de intimidade e afeto nas relações entre pais e filhos, estendendo-se para as redes de apoio da família, tais como vizinhos e amigos.

Mais uma grande vantagem dessa proposta de ação psicossocial é caracterizar-se como uma intervenção grupal, reunindo dez famílias. As conversações em grupo permitem ampliar o horizonte de cada uma delas, na medida em que se dão conta de que aquilo que acontece com elas também ocorre em outras famílias. Na troca das experiências vividas, elas se tornam testemunhas externas e participam de uma espécie de cerimônia de definição do problema, momento que, conforme White (2007), acolhe e legitima narrativas de vida e de identidade. Por outro lado, ao incluir redes sociais significativas das pessoas atendidas, o CV aumenta a sustentabilidade das mudanças presentes durante a intervenção. Crianças e adolescentes, assim como suas famílias, não estão mais sós.

O coro de vozes de crianças e adolescentes, famílias, educadores, representantes do Judiciário e das comunidades, numa polifonia complexa, constrói o sentido das múltiplas narrativas presentes nas vivências de abusos e maus-tratos. A autora ressalta a grande necessidade de ações viáveis e efetivas num país como o Brasil, em que os casos notificados desse tipo de violência contra crianças e adolescentes são alarmantes (Brasil, 2018).

Para terminar, gostaria de apresentar parte dos três primeiros artigos da declaração da Terapia Narrativa do Dulwich Centre (Austrália) sobre o direito de contar histórias. Sucintamente, eles declaram que:

1. toda pessoa tem o direito de que sua vida seja compreendida no contexto vivido por ela, nas suas relações com os outros;
2. toda pessoa tem o direito de convidar outras que lhe sejam importantes para ajudá-la a se recuperar dos efeitos do trauma;

3. toda pessoa tem o direito de se libertar de problemas causados por traumas e injustiças e internamente considerados uma deficiência pessoal.

A intervenção psicossocial desenvolvida por Marlene Marra e apresentada nesta obra atende a esses três artigos. Certamente, trata-se de uma publicação relevante, capaz de ajudar a todos os profissionais que trabalham com o desafio do abuso e da violência sexual e às famílias vitimadas. A forma clara e descritiva da autora, numa narrativa convidativa e de fácil leitura, traz contribuições relevantes para terapeutas, educadores, famílias – enfim, todos aqueles conscientes dos direitos humanos.

Termino agradecendo o convite para ler e prefaciar este livro. Foi um presente para mim. Certamente será um excelente instrumento para todos os interessados nessa temática desafiadora.

MARILENE A. GRANDESSO
Psicóloga, terapeuta comunitária, de família e de casais

REFERÊNCIAS

BRASIL. Lei n. 8.069, de 13 de julho de 1990. Estatuto da Criança e do Adolescente. Disponível em: http://www.planalto.gov.br/ccivil_03/leis/l8069.htm. Acesso em: 30 set. 2020.

______. Ministério da Saúde. Secretaria de Vigilância em Saúde. *Boletim Epidemiológico*, v. 49, jun. 2018. Disponível em: <http://portalarquivos2.saude.gov.br/images/pdf/2018/junho/25/2018-024.pdf>. Acesso em: 1 out. 2020.

WHITE, M. *Maps of narrative practice*. Nova York: WW Norton, 2007.

A RAZÃO DE SER DESTE LIVRO

Contar histórias faz parte do meu trabalho, quer seja em minha atuação na comunidade, no consultório ou na minha vida privada. Embora nem todas as histórias sejam felizes, é muito importante relatar algo que está acontecendo e sugere evocações de fatos passados.

Essas histórias implicam mudanças internas que se convertem em possibilidade de novas ações. Gergen e Gergen (2010) nos dizem que as pessoas são as histórias que contam de si mesmas. E é o que está acontecendo comigo agora. Escrevo este livro logo após começar meu pós-doutorado, que fala da síntese de muitos anos de trabalho como psicóloga, e já me vêm muitas histórias. Quero contar uma que me faz muito feliz e realizada e narra como esta obra começou...

O ano de 2011 foi especial. Tive aulas semanais com um professor, o Malta, para treinar conversação em espanhol. Foi quando resolvemos falar de nossos sonhos e aspirações em relação à língua. Nessas conversas, surgiu o desejo conjunto de fazermos um doutorado, e elas passaram a versar sobre esse assunto. Decidimos que um ajudaria o outro a fazer o projeto que seria apresentado para a seleção dos diferentes programas, que já estavam por acontecer. E assim fizemos. Escrevemos os projetos e discutimos nossas dificuldades e apreensões, enquanto comíamos pão com banana e queijo, a comida mais rápida que conseguíamos preparar. Nós dois fomos aprovados: eu, na Universidade de Brasília (UnB); ele, na Universidade Federal de Minas Gerais (UFMG). A partir daí, quase não nos vimos mais, mas nos tornamos amigos de verdade. Foi assim que tudo começou.

Já na universidade, na entrevista de apresentação do meu projeto de seleção para o Programa de Pós-Graduação em Psicologia Clínica e Cultura (PPGPsiCC), reencontrei minha orientadora do mestrado, a professora Liana Fortunato Costa. Pedi-lhe que fosse novamente minha orientadora e em pouco tempo começamos a trabalhar juntas. Ela foi fantástica: acolheu todas as minhas inovações conforme os parâmetros da academia. Mas o resultado foi diferente de todo o esperado: não fiz nada do que havia combinado com meu amigo, assim como ele.

Na minha tese de doutorado, trabalhei e introduzi tantos elementos novos que, às vezes, nem eu mesma me reconhecia. Foram muitos desafios: a população com a qual trabalhei, o tema, a metodologia de trabalho e até a escolha de ir ou não a Israel fazer um "estágio-sanduíche" com meu co-orientador, o professor Haim Omer.

Mas as conquistas foram grandes. Ao final, na defesa da tese, consegui que compusessem minha banca meus dois queridos professores Marilene Grandesso e Emerson Rasera. Da tese também saiu um livro escrito por mim, *Conversas criativas e abuso sexual – Uma proposta para o atendimento psicossocial*, publicado pela Editora Ágora. Não faltava nada, tudo estava completo.

Em 2016, um ano depois da apresentação da minha tese, comecei a me inquietar novamente. Não queria me afastar da população com a qual trabalhara durante todo o doutorado. Como me afastar daqueles que tanto me haviam ensinado? Deixar para trás as famílias, as crianças e os adolescentes? Ficar no conforto de um título? Então, novamente me candidatei a um posto de pesquisadora colaboradora no PPGPsiCC. Nessa função, eu teria uma instituição forte e competente que me apoiaria em conhecimento e daria continuidade às minhas pesquisas. Comecei a trabalhar com um grupo de alunos interessado pelo estudo e pela pesquisa no tema da violência sexual contra crianças e adolescentes.

Atualmente, permaneço pesquisando na UnB, dando aulas para o estágio clínico e a prática do psicólogo – uma experiência muito enriquecedora. Aliás, onde mais eu poderia prosseguir a experiência de pesquisa aproveitando a aprendizagem no doutorado? Onde poderia estar com as crianças e os adolescentes que sofreram ou sofrem violência?

Todo esse trabalho começou a ser mapeado em Israel, em meu estágio-sanduíche com Haim Omer, que trabalha com violência, comportamentos destrutivos – sobretudo de adolescentes – e a importância dos pais na vida dos filhos. Omer é o criador de uma metodologia de atenção a essas situações. Enquanto estava sob a orientação dele, pensamos nos possíveis passos de um protocolo para a aplicação do cuidado vigilante (CV) na minha volta ao Brasil. Aqui, fui construindo e adaptando aspectos para a criação desse protocolo, junto com a comunidade atendida, os técnicos do Centro de Especialidades para a Atenção às Pessoas em Situação de Violência Sexual, Familiar e Doméstica (Cepav) e os estagiários de psicologia clínica da UnB.

A proposta atraiu Lucy Mary Cavalcanti Ströher, assistente social que à época prestava assessoria técnica ao Núcleo de Estudos, Prevenção e Atenção às Violências (Nepav) da Secretaria de Estado de Saúde do Governo do Distrito Federal. Lucy me apresentou o Centro de Especialidades para a Atenção às Pessoas em Situação de Violência Sexual, Familiar e Doméstica (Cepav Girassol), localizado na região administrativa de Paranoá, que fica a 30 quilômetros do Plano Piloto. Começamos, eu e meus alunos, a trabalhar e passamos a aplicar o protocolo do cuidado vigilante já no ano de 2017, juntamente com a assistente social Isabella Telles Kahn Stephan e a psicóloga Ana Carolina dos Santos Fonseca Boquadi. Foram experiências ricas e importantes. Além de atender as famílias, alteramos o formato do protocolo para que fosse mais eficaz, considerando a realidade contextual das famílias. Em 2018 e 2019, iniciamos a aplicação do protocolo no Cepav Jasmim, que faz parte da Superintendência da Região de Saúde Central e funciona no Hospital Regional da Asa Norte (HRAN). Dessa vez, o trabalho contou com a colaboração de Denise de Freitas Marreco, Neulabihan Mesquita e Silva Montenegro, Viviane Pereira Morais, Monique Guerreiro de Moura, Roberta Maués e Denise Lima Moreira.

Agradeço a todos os personagens dessa história. Sem vocês, nada teria sido possível. Mas essa é uma história que mal começou. Ainda temos muito para contar.

MARLENE MAGNABOSCO MARRA
Brasília, julho de 2020

INTRODUÇÃO

Cuidado vigilante (CV) é sinônimo de presença parental. É como estar diante de um quebra-cabeça cujas peças para completar a imagem muitas vezes não são encontradas num primeiro momento. Nem sempre o mais importante é encontrar todas elas, mas sim dar permissão para que os jogadores se apropriem de suas falas. Nesse processo, articulando suas falas com as da família, eles encontram o sentido e o significado que conseguem suportar naquele momento. A cada novo deslocamento dessas peças, que ocorre ao longo da aplicação do protocolo, a família reflete sobre a experiência e cria novas possibilidades, com as quais surge uma sensação de organizar e agenciar a vida.

Pais paralisados não se cansam de explicar, ameaçar, exigir, culpar. Quase sempre sua fala interminável convence os filhos, mas nem mesmo eles creem haver algo além da palavra. A questão é como interromper sua voz externa e autoritária e ajudá-los a falar menos, com coerência, marcando uma presença afetiva e amorosa e redescobrindo seus recursos internos.

Expandir e empoderar uma família com base em seus recursos potenciais, em um círculo mais amplo de cuidados parentais com crianças e adolescentes, consiste em diligenciar uma atenção aberta, firme e concreta dos sistemas mais amplos com os quais a família interage. Dilatar os acontecimentos significativos, a exploração das interações, a comunicação e o apoio familiar é de suma importância na prática, na coordenação e na organização dos arranjos de novos cuidados parentais de que o CV se ocupa. Trata-se de restabelecer a presença dos pais, considerando-os os principais agentes de mudança da criança e do adolescente. A principal meta do CV é colocá-los no centro da ação por meio da interação terapêutica que se estabelece nos trabalhos de grupo com as famílias e da aprendizagem de uma intervenção territorial básica, isto é, fazê-los ocupar seu lugar na família, direcionando os protestos dos filhos para algo pacífico.

A interação terapêutica é um fenômeno recíproco que possibilita às pessoas conversar a respeito de seus problemas e promover uma maneira diferente de falar, pensar e atuar em relação àquilo que incomoda. Essas conversações acabam por desconstruir algumas das verdades que as pessoas sustentam acerca de sua vida e de suas relações – verdades das quais elas muitas vezes se sentem prisioneiras (White, 2002), como em casos de abuso sexual e maus-tratos.

Esse tipo de violência contra crianças e adolescentes faz parte da cultura desde tempos imemoráveis. As explicações a essas questões mostram uma convergência entre pobreza, raça e gênero, que resulta em índices mais elevados de violência. Esta se mostra presente na vida cotidiana e na contemporaneidade, revelando a dimensão das relações sócio-históricas.

Esta obra aborda uma das modalidades do programa de cuidado vigilante – conversas construtivas e responsabilidade relacional em contextos de violência, desenvolvidas com as famílias daqueles que sofrem ou sofreram abuso sexual e maus-tratos –, descrevendo um protocolo que potencializa a intervenção em famílias que convivem com a violência. Caracteriza-se pelo esclarecimento da qualidade dos vínculos sociais estabelecidos entre pais e filhos e das consequências diretas e indiretas nos relacionamentos decorrentes. A interação terapêutica envolve todos os atingidos, uma vez que, ao trabalhar os vínculos relacionais, afloram as emoções, as percepções e o sofrimento de pai, mãe e filhos.

Os objetivos são: refletir sobre o CV, contrapondo-o à crença no poder educativo da violência; ajudar os pais a exercer uma autoridade fundada na proximidade, não no distanciamento; e estabelecer uma presença ativa e decidida diante de crianças e adolescentes. Busca-se apresentar, informar e criar a oportunidade de pais e filhos experimentarem uma conversação ampliada – isto é, ajudá-los a conhecer, reconhecer e ressignificar sua vivência com base em conversas espontâneas e inspiradoras, de modo que se apropriem de suas histórias. É assim que costumam surgir conversas que evitam a escalada da violência, que fere ainda mais a esperança e a alma desses jovens.

Essa modalidade deu origem à primeira experiência com o CV no Brasil, tanto academicamente quanto no atendimento a famílias. As demais experiências nasceram em decorrência da aplicação inicial.

As teorias que descrevem o comportamento humano serão sempre tão múltiplas quanto os pontos de vista a respeito dos seres humanos. A abordagem do cuidado vigilante propõe-se a resgatar a principal função dos pais, cuidadores e figuras proativas na vida dos filhos, de modo que exerçam uma autoridade baseada na presença, na atenção e na orientação aos filhos, bem como na percepção e no desenvolvimento do autocontrole, mantendo o respeito a si mesmos e sua legitimidade. Trata-se de uma perspectiva teórica e prática criada pelo professor Haim Omer (1997, 2004, 2011, 2017; Omer e Fleury, 2020a e b), da Universidade de Tel Aviv, em Israel – a qual, em atitude respeitosa e sensível ao sofrimento das famílias, mas também assertiva, explícita e decidida, evidencia os efeitos positivos do conhecimento dos pais sobre a vida dos filhos em situação de risco. A proposta resulta em confiança e diálogos com famílias que vivem afrontadas e amedrontadas com o comportamento autodestrutivo de seus filhos.

O método do CV reconhece que o fator da redução de risco não é o controle comportamental ou psicológico, mas a presença parental (Omer, 2004, 2011; Omer *et al.*, 2013). Esse pressuposto rompe com a perspectiva linear e simplificada de parentalidade, qualificando a relação entre pais e filhos para reduzir os riscos de ações extremas, pois um monitoramento excessivo pode levar a comportamentos indesejados que implicam obediência cega e hierarquia inquestionável. Se a obediência é cega, perde-se o valor mais importante, que é a legitimidade dos pais e o reconhecimento de sua autoridade.

A pessoa que exerce uma autoridade positiva explica suas decisões e, assim, aumenta a probabilidade de elas serem aceitas e adotadas. Por outro lado, os pais autoritários não só não apresentam explicações como transformam essa atitude em marca de sua autoridade. A única explicação é "faça assim porque estou mandando!" Eles pressupõem que a obediência, se não é cega, não é verdadeira. Essa forma de autoridade perdeu a legitimidade e não tem mais lugar na educação dos filhos.

Omer (2017) emprega a metáfora de que se deve "malhar o ferro quando ele está frio", no sentido de que a autoridade precisa de tempo e oportunidade para ser exercida com eficiência. Isso quer dizer que os pais precisam refletir antes de chegar a uma escalada de violência, que destrói o relacionamento com os filhos. A questão é levar os filhos a aceitar a presença dos pais e sua influência, com o consequente desenvolvimento da autonomia consciente da criança e do adolescente.

A proposta original do CV foi adaptada diversas vezes para lidar, entre outros problemas, com mentiras, más companhias, violência de diferentes formas, evasão escolar, bebidas alcoólicas, drogas, sexo desprotegido e direção perigosa. Com base nas experiências aqui destacadas, este livro propõe uma nova abordagem para as famílias enfrentarem o abuso sexual e os maus-tratos, a qual não foi desenvolvida em Israel. Para executar essa experiência no Brasil, criou-se uma metodologia adaptada às características de uma população vulnerável do ponto de vista socioeconômico, para ser aplicada em instituições públicas, considerando o cotidiano das famílias.

Foram duas as perguntas norteadoras dessa proposta:

1. Como dar mais atenção não ao que a criança perdeu, mas ao que poderá ganhar com uma intervenção para uma nova convivência familiar?
2. Como buscar um novo acolhimento que estreite os laços familiares, de vizinhança e de grupos de amizade?

O protocolo não é rígido; vislumbra sempre uma prática profissional que encontre maneiras de ajudar pais e filhos a descobrir os próprios recursos emocionais e afetivos, em vez de impor soluções. Trata-se de um instrumento de aproximação entre pais e filhos, no sentido de desenvolver entre eles uma aliança terapêutica positiva e construtiva, convidando-os a exercer o diálogo e a construir uma relação mais amorosa, com atenção constante às atividades cotidianas e às situações de risco.

Cuidado parental vigilante é aquele que os pais conseguem oferecer ao identificar e conhecer os riscos potenciais a que seus filhos estão submetidos. O método parte do entendimento de que a prevenção do risco é mediada pela presença dos pais na mente da criança. Esse aspecto esclarece a provável eficiência de algumas ações que parecem insignificantes quando os pais não estão no mesmo local que a criança ou o adolescente. Para isso, essas imagens devem estar internalizadas nas relações entre pais e filhos.

O CV difere das tentativas comuns de monitoramento. Algumas condutas proativas – como conversar com os filhos, considerar seus questionamentos, verificar suas experiências rotineiras e entrar em contato com amigos, pais e professores – viabilizam um acompanhamento que se sustenta no diálogo (Marra, Omer e Costa, 2015).

Ao adentrar o campo das narrativas das famílias em situação de abuso sexual e maus-tratos, espera-se que os pais reencontrem seus papéis e funções na vida dos filhos e que estes se sintam pertencentes à vida familiar ao ressignificar as experiências de violência. O CV tem o compromisso de transformar a realidade dessas famílias de forma inclusiva, considerando a magnitude dessa relevância social e a urgência de mudar a situação, minimizando seus sofrimentos e inquietações.

Outros objetivos podem ser considerados:

- dar resposta imediata a vários dilemas e incertezas presentes no contexto de violência e maus-tratos;
- partilhar e transformar situações de sofrimento e dificuldades interacionais em ações favoráveis e catalisadoras de saúde;
- desconstruir padrões violentos, criando instrumentos de aproximação nas relações familiares;
- ampliar a rede de apoio da família fortalecendo vínculos familiares.

O CV é um programa de treinamento parental que articula princípios e estratégias da resistência não violenta (Omer, 2011). A doutrina da resistência pacífica se ampliou no âmbito da luta sociopolítica, que teve como estratégia desenvolver grupos vítimas da opressão como meio de autodefesa e promover mudanças. Envolve uma transformação da base de poder do lado de quem resiste, por exemplo, aos comportamentos violentos e autodestrutivos de crianças e adolescentes e às reações dos pais quando entram em uma escalada de violência.

A resistência não violenta considera que as ações que impedem a violência contra os filhos fomentam valores éticos (Omer, 2011, 2017; Sharp, 1960). O objetivo da resistência pacífica é recuperar a posição dos pais e dos educadores por meio de atenção, determinação e decisão, sem violência ou conflito, mesmo que o comportamento da criança seja extremamente violento. A profunda diferença entre a presença parental e o uso da força é um dos pilares centrais do programa e impede o aumento da violência (Omer, 2004, 2011, 2017).

O CV pretende restabelecer uma relação de confiança mútua, diálogo aberto e cooperação na qual o filho sinta que não é negligenciado, esquecido ou abandonado, e sim que os pais têm interesse em sua vida. Estes criam oportunidades para recuperar sua presença com envolvimento estreito e contínuo e atitudes flexíveis porém informadas, coordenadas e decididas. Além disso, buscam uma via que implique a disponibilidade de estar junto com os filhos, em contraposição ao monitoramento excessivo e aos extremos da superproteção e da negligência (Marra, Omer e Costa, 2015). Os pais se sentem mais seguros e em melhores condições de intervir quando necessário, enquanto os filhos passam a considerar legítima a intervenção deles, devido à relação mais próxima e à existência de acordos a respeito das dificuldades.

Desse modo, o CV impede que os filhos queiram excluir os pais de sua vida, por sentirem que a nova autoridade parental lhes dá uma presença física e mental e um sentimento de acompanhamento e companhia. É um modo de crianças e adolescentes internalizarem o cuidado dos pais e desenvolverem o autocuidado (Omer, 2004, 2011, 2017; Omer, Schorr-Sapir e Weinblatt, 2008).

Os pais se organizam alternando os níveis de atenção aberta, atenção focada e proteção ativa, de acordo com os sinais de alerta detectados. No nível de atenção aberta, eles primeiramente manifestam um interesse não intrusivo e afetuoso pelo filho, estabelecem contatos não inquisitivos e encorajam o diálogo franco com as pessoas que fazem parte do seu ambiente (professores, amigos, outros pais). Se não surgirem sinais de alerta, os pais permanecem nesse nível, que é o mais próximo do diálogo e da revelação espontânea da sua presença (Omer, 1997, 2004, 2011, 2017; Omer, Schorr-Sapir e Weinblatt, 2008).

No entanto, se os sinais de alerta se tornam evidentes – mentiras, atraso escolar, amizades problemáticas, indícios de que o filho não está bem, entre outros –, os pais passam ao nível de atenção focada: começam a verificar e perguntar ao filho detalhes de suas atividades. Têm o cuidado especial de esclarecer e reafirmar regras que foram negligenciadas. Se os sinais de alerta retrocedem, os pais voltam ao nível de atenção aberta.

Caso se torne claro que o filho está envolvido em atividades que podem gerar sofrimento, os pais passam ao nível de proteção ativa, isto é, tomam atitudes para reduzir os riscos sem demora. O CV se transforma gradualmente em autocuidado (Omer, 2004, 2011, 2017).

1. AUTORIDADE SEM VIOLÊNCIA: A PRESENÇA ASSERTIVA DOS PAIS E OS DESAFIOS DA PARENTALIDADE

A presença parental é sentida e reconhecida por crianças e adolescentes quando os pais têm uma autoridade distinta daquela que se assenta na força bruta e na violência. Essa presença precisa ser firme, constante e assertiva.

Porém, o exercício da autoridade não tem medida certa. Cada família busca referências em suas histórias de vida. Além dessa consideração, existem muitas outras. É fácil perceber que, na atualidade, a relação entre pais e filhos pode vir a ser incongruente, na medida em que a ênfase na satisfação pessoal, o acesso descontrolado à tecnologia e a valorização do ter em vez do ser provocam a fragilização dos laços. Os valores relacionais inerentes à educação tornaram-se menos claros e consensuais.

A modernização, a urbanização e a migração causaram o isolamento e por vezes o destroçamento das famílias nucleares, perceptível na quantidade de divórcios e no imenso percentual de famílias monoparentais, o que gera grandes distúrbios relacionais para seus membros. As famílias extensas, que antes davam apoio às nucleares, praticamente não existem mais e – quando estão próximas, muitas vezes minam a autoridade dos pais. Todos esses processos atuais geram diversos tipo de violência.

Considerada crime, a violência contra crianças e adolescentes atinge milhões de famílias no mundo e traz sofrimento a todos os envolvidos, direta ou indiretamente. Dados da Sociedade Brasileira de Pediatria (SBP) obtidos no Sistema Nacional de Agravos de Notificação (Sinan), ligado ao Ministério da Saúde, mostram que, somente em 2017, foram feitas 85.293 notificações de violência contra crianças e adolescentes (Tatsch, 2109). Entretanto, certos traços culturais reforçam que bater nos filhos é a melhor forma de educá-los, o que contribui para que esses crimes não sejam denunciados.

Os elementos que configuram as situações de violência se organizam, portanto, de maneira complexa, e por isso devem ser analisados em seu contexto, conforme as narrativas decorrentes deles e circunstâncias mais amplas. O CV aponta possibilidades de intervenção para constituir novas relações entre os familiares, buscando uma interface com o indivíduo, a família, a sua história, a violência vivida e o conhecimento dos fatores de risco que aliciam os filhos.

Os fatores que predispõem resultados negativos e indesejados ou assinalam fatos estressores são considerados de risco. Marra e Costa (2018) citam como exemplos, no contexto familiar, violência doméstica, padrões rígidos de disciplina e falta de negociação com o filho, ausência dos pais ou dos adolescentes em função de uma jornada de trabalho exaustiva, pais abusivos e falta de orientação e controle.

A presença parental, não necessariamente constante, é um meio de evitar um descontrole dos pais que leve a uma escalada de violência. Omer (2017) a considera um conceito bipolar, no sentido de que os pais necessitam mostrar-se presentes na vida dos filhos, mas nem sempre conseguem, querem ou podem, assim como os filhos podem também não permitir ou desejar.

A privação do papel parental para os filhos ocorre principalmente quando os pais deixam de exercer suas funções, tornando-se invisíveis como pessoas e, consequentemente, como figuras de autoridade.

A sensibilidade e o sofrimento dos pais aumentam quando eles enfrentam desafios e conflitos com seus filhos e precisam tomar posições firmes e decididas, assim como quando necessitam protegê-los da violência social ou de pessoas próximas. Em tais casos, a parentalidade entra em crise e os pais hesitam entre tomar uma atitude de controle e proibição, em que sua autoridade não poderá ser questionada, e negligenciar a situação. Nesse contexto, podem aumentar a violência ou abandonar o problema para ver como a situação se desenrola. A relação entra em um círculo vicioso: submissão parental, maiores exigências do filho, crescente frustração e hostilidade dos pais, represálias do filho, submissão dos pais (Omer, 2017; Omer e Fleury, 2020a e b). Surgem duas possibilidades de interação: uma complementar, em que a submissão aumenta a violência, e uma simétrica, na qual a hostilidade gera mais hostilidade. O agravamento de qualquer uma delas ocorre quando os pais evitam a conduta negativa do filho para não causar confrontos.

Os pais precisam ter autocontrole (resistência pacífica) e coragem para transmitir a seguinte mensagem aos filhos: "Vamos sentar e conversar até encontramos uma solução, pois sou sua mãe, seu pai e aqui estou e aqui fico. Não me rendo nem renuncio a você. Amo você e não vou te abandonar" (Omer, 2017).

Além disso, devem dar um tempo para os ânimos se acalmarem, para compreender o que se passa e avaliar os riscos e as possibilidades de exercer sua autoridade. Só então retomam a conversa com os filhos, buscando confirmar sua presença e sua autoridade, sem agir como um pêndulo que oscila entre a violência do filho e a violência de um deles. Deve-se abrir mão de qualquer ataque ou contra-ataque físico, de toda expressão que vise humilhar ou ofender e de toda provocação deliberada.

A coluna vertebral do relacionamento entre pais e filhos é composta de três elementos essenciais para criar respeito e dar legitimidade à autoridade dos pais: presença firme e decidida, autocontrole e rede de apoio (Omer, 2017; Omer e Fleury, 2020a e b). Esses três aspectos atuam como âncora na proposta de presença continuada e dão consistência à nova autoridade, proporcionando aos pais uma forma de estabilizar-se e orientar-se diante dos filhos com a segurança de que poderão combater a violência sem violência e sem o movimento pendular de uma escalada que causa efeitos desastrosos, deixando marcas muitas vezes irreparáveis.

A disposição de combater a violência com meios não violentos estimula a expressão de uma atitude empática e respeitosa para com a criança e o adolescente, criando, assim, as condições básicas para o respeito e a legitimidade de todos. A resistência pacífica pode ser considerada o aspecto combativo da presença parental, pois é ela que deve se manifestar na luta dos pais contra os conflitos e as dificuldades dos filhos. Esse tipo de resistência se destaca justamente por evitar a violência; além disso, deixa-se de recorrer à persuasão verbal, pois se compreende a necessidade de uma luta autêntica. Ela deve começar no momento em que as palavras deixam de ter efeito satisfatório.

Assim como acontece no âmbito sociopolítico, a resistência pacífica propicia o surgimento progressivo de reações não violentas, pois ante a decidida resistência pacífica de pais, professores ou cuidadores a violência não alcança seu objetivo; a partir daí, a criança e o adolescente começam a reagir de forma positiva.

Ao abordar esse tema, Sharp (1973) diz que a violência se debilita em virtude de várias razões:

- por perda de legitimidade;
- pela inibição provocada pelo adversário não violento (é mais difícil atacar uma pessoa sentada em silêncio do que outra que ergue os punhos e profere ameaças);
- pela firmeza desestabilizadora do adversário não violento;
- pelo apoio das testemunhas da cena ao não violento.

Gandhi comparava a violência e a não violência com a imagem de uma pessoa que golpeia a água com toda a força; no fim, o braço vai estar muito mais cansado do que a água. A resistência pacífica elimina as condições que perpetuam a violência ao criar um ambiente que não lhe permite sobreviver. Os filhos agressivos ou os que vivem em conflito com seus pais bravos e furiosos sabem muito bem como lidar com eles, mas não sabem o que fazer quando os pais têm uma atitude decidida e não violenta.

O cuidado vigilante coloca os pais – além de outras figuras de autoridade, como professores e cuidadores – no centro dessa questão: primeiro, porque têm direitos e deveres e devem ser respeitados; depois, porque são os principais responsáveis por mediar o mundo para as crianças e precisam mostrar a elas sua presença decidida à frente da educação, investidos de nova autoridade. Afora essas questões, os pais devem estar atentos à possibilidade de a atitude agressiva dos filhos e os conflitos serem sintomas de outros problemas psicológicos mais profundos, sobretudo quando vivem ou viveram abuso sexual e maus-tratos. Esses traumas comprometem seu desenvolvimento; impedem uma convivência saudável e promissora, e a relação com os pais se bloqueia. Se o responsável pelo abuso ou pelos maus-tratos é um dos genitores, a relação com o filho pode ficar totalmente destroçada. Por outro lado, o genitor que permanece com a criança silencia por medo de conversar sobre o assunto; sente-se incapaz para tanto, sem saber por onde começar, ou acha que já perdeu a batalha. Assim têm início os problemas e as dificuldades.

Quando travam uma luta de poder com o filho, os pais veem sua presença se esvair. Por não terem a habilidade de conversar e negociar com ele ou, ainda, por não conseguirem apresentar soluções para os problemas, eles se tornam controladores do comportamento do filho, não o reconhecem como pessoa que merece respeito e atenção e usam a força e sua pretensa autoridade como arma de educação.

2. AS ORIGENS DO PROTOCOLO DO CUIDADO VIGILANTE

A elaboração desse protocolo contou com muitas mãos e olhares em diferentes direções e contextos, assim como para a expressão da violência em dimensões diversas. Seu fundamento é a compreensão de que a violência é um circuito vivo e retroalimentado por questões individuais e relacionais.

Sendo assim, tal protocolo procura apresentar uma perspectiva clínica social das dificuldades e dos contratempos nas relações familiares impulsionados pela violência sexual e por maus-tratos, permitindo que as crianças e os adolescentes atingidos saiam de suas "tocas" e se vejam cara a cara com seu sofrimento. Ao assumir o protagonismo da própria vida, eles enxergam maneiras de pensar sobre a vivência sexual, transformando-a em ocorrências não violentas, e se voltam para um novo sentido de esperança e liberdade.

Esses jovens passam a potencializar seus recursos internos para conseguir enfrentar as situações de violência e os momentos junto da família, reencontrando sua realidade sócio-histórica, sempre produzida, reproduzida e alterada pela linguagem. É dada a eles a oportunidade de contar suas histórias e, ao mesmo tempo, resgatar a legitimidade dos pais, em uma conversação na qual a autoridade parental esteja presente de forma não autoritária, mas com proximidade.

Conhecer as famílias em processo de intervenção no contexto do Cepav Jasmim implicou considerar sua organização caótica e a complexidade das suas relações. Isso exigiu dos profissionais uma metodologia de intervenção que, em primeiro lugar, os ajudasse a interromper a violência a partir dos arranjos efetuados com a justiça, construindo juntamente com a família suas principais demandas e o significado de suas vivências para a promoção de um processo eficaz.

Quando se aplica uma metodologia de atendimento de natureza multidisciplinar com ação focal e breve e com o envolvimento de todos os contextos que participam da construção de sentidos para as narrativas dessas famílias, promovem-se mudanças na dinâmica familiar, uma vez que a responsabilidade relacional tem potencial transformador para todos os envolvidos nesse esforço conjunto. Para reforçar a dimensão clínica da intervenção psicossocial, foi necessário elaborar uma abordagem de escuta das narrativas das famílias, que, naquele momento, assumiram um compromisso com o filho envolvido.

Essa escuta deve ser interpretada por eles mesmos, com base nas próprias histórias reveladas durante a aplicação do protocolo. Para tanto, precisamos acrescentar aportes teóricos para complementar a atividade dos profissionais. Além da resistência não violenta, agregaram-se conhecimentos de maior abrangência para que se pudesse compreender a violência sexual e os maus-tratos, sobretudo intrafamiliares, que eram constantes naquele contexto.

São quatro os pressupostos teóricos e metodológicos que sustentam a elaboração do protocolo dessa proposta do CV: resistência pacífica (postura social e política), pensamento sistêmico (postura relacional, contextual e psicossocial), construcionismo social (postura filosófica e cultural) e psicodrama (postura metodológica). Autoridade e presença são termos análogos a compreensão e colaboração entre pais e filhos e servem de elo entre diferentes abordagens psicoterapêuticas e psicossociais.

TEORIA DA RESISTÊNCIA NÃO VIOLENTA OU RESISTÊNCIA PACÍFICA

O *mahatma* Mohandas Gandhi (1869-1948), líder indiano pacifista, e o pastor Martin Luther King (1929-1968), líder do movimento por direitos civis nos Estados Unidos, viveram e defenderam a teoria da resistência não violenta (RNV) (Omer, 2011, 2017), posteriormente analisada por Gene Sharp (1973), historiador e principal teórico desse enfoque.

Essa teoria foi desenvolvida no âmbito da luta sociopolítica, com a formação de grupos vítimas de opressão, recorrendo à autodefesa e à promoção da transformação. Não se pode confundir a resistência pacífica com a ideia de que todo uso do poder é impróprio, que as demandas que não contam com o respaldo do poder para manifestar-se não têm efeito algum. A resistência pacífica adota explicitamente a linguagem da luta, pois quem, em princípio, desiste de lutar acaba por contribuir para a perpetuação da opressão. O ativista não violento refuta a violência no sentido concreto. Transformação similar ocorre com a família, pois os pais aprendem a recorrer ao poder da sua presença, do apoio social e da resistência pacífica aos comportamentos destrutivos dos filhos.

A violência familiar pode ultrapassar os limites do poder, do controle e do domínio, como se viesse a ser o aspecto mais relevante na relação entre filhos e pais (Omer, 2011, 2017). Assim como ocorre no âmbito sociopolítico, a resistência pacífica na família propicia progressivamente reações não violentas nos filhos, ante a dificuldade de obterem o desejado por meio da violência. Assim, todos começam a reagir de forma positiva.

PENSAMENTO SISTÊMICO

O pensamento sistêmico é uma abordagem que considera a família um sistema relacional e linguístico, uma organização social variável que se constrói dentro da imensa teia de relações, com contornos e limites imprecisos e variáveis, configurada sócio-historicamente, criando seus significados e sentidos no transcurso de seu ciclo de vida.

Todos os membros da família estão envolvidos na formação de um compromisso social de mudança, com cultura, marca especial de comunicação e interpretação próprias de regras e ritos marcados por relações de classe, etnia e gênero (Nichols e Schwartz, 2007). "Um sistema familiar compreende que aquele grupo de pessoas é uma 'totalidade organizada', cujas partes funcionam de maneira que transcendem suas características isoladas" (Minuchin, Nichols e Lee, 2009, p. 15).

Os sistemas humanos interagem e se constroem na linguagem e pela linguagem. São sistemas de organização e dissolução dos problemas, entidades complexas, compostas de indivíduos que pensam, interpretam, entendem e compartilham significados como construção social (Anderson, 2010; Anderson e Goolishian, 1988). Nesse movimento de construção, nem sempre as famílias representam um âmbito de proteção ou cumprem a expectativa social de proteger seus membros, já que, conforme se tem apurado, muitas revelam relações abusivas entre pais e filhos, que recorrem à violência física, psicológica e sexual.

CONSTRUCIONISMO SOCIAL

O construcionismo social tem como um dos representantes principais Kenneth J. Gergen (1985, 1996, 2006; Gergen e Gergen, 2010). No estudo a respeito das famílias em situação de violência, as histórias de seus membros ocupam um lugar especial. São inovadoras e inspiradoras, produzindo uma conversação que se apoia na narração, na reflexão e na colaboração e pretende transformar o sentido dado pelos discursos dominantes relativos à violência. Esse enfoque permite considerar a linguagem uma ação e leva a uma compreensão histórica, social e cultural dos sistemas de significação da violência sexual e dos maus-tratos, uma vez que os valores pessoais e relacionais são mediados por ela, pela cultura e pela época em que vivemos. A intervenção pela linguagem valoriza, portanto, as questões sociais, entre as quais se inserem a violência familiar, o machismo, o multiculturalismo, a justiça social e os direitos humanos. Manifestação fundamental da linguagem, o diálogo leva os interlocutores a participar do desenvolvimento de novos significados, realidades e narrativas.

Para que o diálogo aconteça, é preciso que alguém o inicie e conduza. No diálogo, considerado um qualificador das relações humanas, os participantes prestam atenção em dois focos: o conteúdo e o modo da conversa. Nesse processo de conversação, eles percebem as possibilidades de relacionamento, as identidades, os valores, as crenças e os objetivos comuns (Grandesso, 2019).

O CV, tido como um meio heurístico, uma prática discursiva de negociação de sentidos, inclui os familiares justamente para criar uma atividade dialógica e possibilitar a elaboração conjunta de novas histórias de vida.

MÉTODO PSICODRAMÁTICO

O método psicodramático (Moreno, 1972, 1992, 1993) é uma abordagem teórica e prática que evidencia os efeitos positivos do entendimento do indivíduo como ser espontâneo e criativo, compreensível na ação e na concretude de suas experiências, de maneira que oferece recursos para a intervenção em contextos grupais.

A abordagem psicodramática mostra que a influência mútua ou o princípio de interação terapêutica confirma que a interdependência dos indivíduos participantes de um grupo não se mistura como uma massa; ao contrário, suas capacidades terapêuticas são aproveitadas e desenvolvidas para a construção de um espaço pluridimensional. As trocas e as aprendizagens no contexto grupal facilitam a desconstrução dos discursos dominantes e das normas sociais cristalizadas, permitindo o surgimento de novos modos de pensar e ser no mundo.

Jacob Levy Moreno (1889-1974) apresentou a importância e a força do protagonismo grupal na transformação da realidade e mostrou caminhos possíveis. Criou o método do *role-playing* (jogo de papéis) e a técnica do duplo, entre outros recursos, para intervenções na comunidade e em instituições públicas ou privadas, ensejando novos sentidos e significados na vida relacional e reduzindo a força destrutiva da violência. Ao desempenhar papéis vitais como o da mãe, do pai e do filho, os integrantes da equipe técnica e os estagiários conseguem levar a intervenção a bom termo. O duplo é utilizado quando o participante/protagonista tem muita dificuldade para expressar verbalmente o que precisa dizer ao outro, geralmente por algum bloqueio emocional. O terapeuta preparado para uma sensibilidade télica expressa, em intervenções breves e precisas, os sentimentos e as emoções que pôde captar (Rojas-Bermúdez, 1968). Essa técnica também mostra a dimensão da reflexividade e da ressignificação de experiências e dissonâncias que aparecem nas conversas entre os familiares, transformando ou dissolvendo os problemas e transcendendo o papel que, muitas vezes, já é dado e prescrito por ideologias e culturas limitantes e por um repetitivo repertório de ações.

A proposta metodológica psicodramática para intervenções com famílias violentas visa favorecer o desenvolvimento de papéis e suas funções e permite, ao mesmo tempo, investigar e intervir. A ação expressa dá à família condições de perceber a espontaneidade criativa de cada um, ao lidar com questões de sua vida, e avaliar seu amadurecimento com relação à vivência de imprevistos. Contribui também para o reconhecimento dos valores éticos e sociais e das competências relacionais e culturais do grupo familiar. Além disso, a dramatização permite que a família conheça o projeto existencial de seus membros, isto é, o sentido que imprimem pessoalmente à vida nos diferentes papéis e graus de comprometimento com a família.

UM DIÁLOGO ENTRE TEORIA E PRÁTICA: ARTICULANDO APORTES TEÓRICOS

Para estruturar uma proposta de atendimento que se pretende um protocolo de intervenção e também uma possibilidade de compreensão do funcionamento da família que convive com violência sexual e maus-tratos, é necessário articular os pressupostos teóricos que sustentam a prática.

Nesse panorama de complexidade que caracteriza os sistemas familiares e particularmente a situação de vulnerabilidade da população atendida, o protocolo do CV tem uma dimensão multidisciplinar marcada pela confluência de diferentes aportes teóricos, uma vez que se deve considerar o todo e a interação entre as partes, como apontam diversos pesquisadores (Anderson, 2010; Andolfi, 2018; Andolfi e Mascellani, 2012; Costa e Penso, 2010; Costa *et al.*, 2013; Vasconcelos, 2002; Gergen, 2006, 2016; Marra, 2014, 2015, 2016; Koller, De Antoni, e Carpena, 2012; Marra e Costa, 2016, 2018; Costa e Marra, 2019; Minuchin, Colapinto e Minuchin, 1999; Minuchin, Nichols e Lee, 2009; Moreno, 1972, 1992; Fleury, Marra e Knobel, 2015; Omer, 2011, 2017; Sluzki, 1996).

Esses autores dão a entender que não existe uma forma fechada de família, mas afirmam que os profissionais que trabalham com famílias deveriam sempre pedir: pode me mostrar quem faz parte da sua família? É nesse espaço simbólico, um microssistema fundamental para as interações humanas, que a pessoa constrói sua história. Portanto, cada família é constituída por histórias, necessidades, rotinas, preocupações e predisposições com relação aos investimentos que faz em sua organização.

Dessa perspectiva surge a premissa de que todo novo conhecimento resulta da complexidade do objeto estudado, da instabilidade do contexto em que ele se insere e da intersubjetividade dos participantes do processo, que compreende todos os envolvidos no trabalho. Nesse sentido, destacamos que todo conhecimento é uma construção social e que as mudanças e as transformações dependem da coordenação, da interação de várias pessoas, alcançando teorias da pós-modernidade como as narrativas e as práticas colaborativas.

A ausência de significados nas histórias vividas leva a uma cisão com a realidade, pois as vozes internas das personagens da história não existem. As narrativas de cada participante do grupo não são constructos intrapsíquicos encapsulados, em contraposição ao *self* narrador (Anderson, 2010), mas brotam da relação entre as pessoas que compõem cada sistema, seja a família, o grupo de CV, sejam tantos outros subsistemas de convivência do indivíduo. Desse ponto de vista, o *self* narrador surge do universo intersubjetivo, por meio de histórias narradas pelos outros e por nós mesmos a nosso respeito.

As narrativas nascem nas conversas, nos diálogos, e só têm existência como parte de uma rede de muitos outros contadores de histórias. As diversas possibilidades de construção do real e de seus significados, as histórias, as experiências anteriores e as várias interações em diferentes contextos se realizam no campo social.

Embora a família seja menosprezada por alguns e enaltecida por outros, ela é tida como mediadora das relações entre seus membros e a coletividade. O indivíduo torna-se sujeito na conjuntura da família e insere-se em sua diversidade de formas e arranjos. A família compartilha do processo de construção da realidade que se faz na vivência de rotinas, interações e trocas sociais ao longo do seu ciclo de vida e de muitas gerações.

Ao mesmo tempo que a família é o contexto no qual ocorre grande gama de maus-tratos à criança e ao adolescente, é também nela que a sociedade deposita a crença de constituir um grupo privilegiado para o enfrentamento e o tratamento dessas situações. A família consiste, portanto, em um grupo com potencialidades e competências para responder às exigências dessas questões. As habilidades para lidar com situações de tal natureza são aprendidas pelas famílias desde que os responsáveis decidam proteger a si mesmos e a seus filhos e encontrem serviços especializados (políticas públicas) que os ajudem nessa construção.

Percebe-se que, antes mesmo de acontecerem situações de violência expressa, crianças, adolescentes e demais membros da família já vivem em ambientes que os colocam em vulnerabilidade. As famílias são protagonistas de múltiplos modos de violência, como negligência, desrespeito aos direitos humanos fundamentais, falta de comunicação entre seus membros e estresse causado por fatores situacionais e contextuais.

Quando ocorre violência, os papéis de pais e filhos se desorganizam. A explicitação dos diversos papéis de cada membro da família e do lugar de cada um na interação familiar é fator preponderante para sua individuação e crescimento (Minuchin, 1982). A assunção dos papéis possibilita à família entender os principais subsistemas que lhe cabem, suas tarefas e funções específicas. As fronteiras delineadas pelo papel assumido permitem acessos reais e condizentes com as funções, como, por exemplo, a autoridade clara e decidida dos pais, fator organizador da vida dos filhos.

O diálogo familiar produzido no contexto do CV passa por um processo que vai dos fatos aos significados. A linguagem é o instrumento que a compreensão humana utiliza para chegar ao significado das coisas e transmiti-lo aos outros. É preciso compreender para dar sentido ao que se diz e ao que se ouve. Compreender é diferente de explicar. Portanto, o processo do CV é, ao mesmo tempo, mediador e portador de uma mensagem, transformando o que é pouco familiar, obscuro ou distante na relação pais-filhos em algo real, próximo e amoroso.

À medida que pais e filhos apresentam seus elementos conceituais e seus recursos afetivos e emocionais para compreender o que o outro diz, os membros da família constroem um contexto significativo, um círculo hermenêutico, o que resulta em uma responsabilidade relacional.

O significado do diálogo não reside nem nos pais nem nos filhos, mas na relação de ambos. Tanto a ação de um quanto a ação complementar do outro estão o tempo todo coordenadas para que o significado ocorra para o bem ou para o mal. As vidas são vividas de forma dialógica e a compreensão das dificuldades existentes entre as pessoas as desperta para a responsabilidade relacional (Marra, 2016; Marra, Omer e Costa, 2015; McNamee e Gergen, 1998). Porém, à medida que a criança cresce, os pais deveriam aprender a desengajar-se da responsabilidade de coordenar todas as suas ações, fazendo que sua presença seja aos poucos menos atuante, para que os filhos desenvolvam autonomia e autocuidado.

Para Moreno (1992), a violência parece residir nas dificuldades relacionais e de convivência, como se as pessoas estivessem apegadas a um discurso dominante, à conserva cultural. O discurso dominante ou conserva cultural cria um campo de sentido que passa a moldar a vida da pessoa, uma visão de si mesma e dos relacionamentos fechada e reduzida, impedindo que novas maneiras de organização da vida sejam ampliadas (Gergen, 1996). Restringe certos significados em detrimento de outros, dificultando uma nova compreensão de si próprio. A conserva cultural é a ausência da espontaneidade e da criatividade. A criação ou atitude criativa seria o não sintoma, a não doença, a não catástrofe, o não mal, a não desigualdade e a não violência. A espontaneidade e a criatividade implicam a construção de realidades alternativas e preferíveis que anunciam possibilidades e potencialidades em contextos de compartilhamento.

A espontaneidade e a criatividade são fatores que impulsionam o ser humano para a evolução, para agir transformando as situações e garantindo sua sobrevivência e a construção de suas relações sociais. É no desempenho dos próprios papéis que o indivíduo manifesta sua espontaneidade e sua criatividade e cria seus vínculos (Marra, 2004).

De acordo com Moreno (1972), os papéis são modos reais e tangíveis que o eu toma para expressar sua coexistência, sua coexperiência e sua coação no contexto, tornando-se uma ponte constante entre si e o coletivo. Para esse autor, a família é um sistema relacional em que são transmitidas as necessidades individuais e as exigências sociais. Ele funciona imbricado em uma teia de relações em constante transformação. Tais mudanças só podem ser compreendidas no contexto, na situação, com o ator *in situ*, pois o contexto proporciona a compreensão e o significado do aqui e agora. No entender de Moreno (1972) e de Bateson (1972), a família é um grupo social complexo, formado por diversos agrupamentos ou subsistemas que interagem, podendo originar diversos conflitos inter-relacionais.

As construções e/ou as movimentações vividas e expressas pelo grupo familiar e por outros grupos em torno da família, como motivações, emoções, sentimentos, percepções, significados e escolhas, possibilitam a organização de narrativas que tomam formas linguísticas e sentidos. Essa movimentação espontânea ou construção de narrativas dos atores sociais em seus "átomos sociais" visa à compreensão dos processos interativos.

Átomos sociais são o núcleo das interações emocionais que se estabelecem em torno do indivíduo. Esse núcleo é constituído pela expressão de afeto (amor ou desamor). A dimensão interativa dessa expressão de afeto permite que a relação do grupo gere conhecimento e que se amplie a ressonância dessa construção em todas as interseções do sistema ou grupo.

Os participantes do grupo desempenham papéis e vivem relações complementares, também chamadas de intercâmbios relacionais. Essa conjuntura afetiva que o átomo social configura nada mais é que o universo social da pessoa, sua complexidade relacional e sua singularidade, suas redes de comunicação, isto é, sua rede sociométrica.

Redes sociométricas são cadeias complexas de interação dos átomos sociais, e essas interações são vias por meio das quais os afetos e os desafetos circulam, organizando conjuntos de interações que possibilitam aproximações, distanciamentos e interferências nos intercâmbios entre as pessoas.

Para Harlene Anderson e Harold Goolishian (1988), o importante não é produzir mudanças, mas abrir espaços para a conversação terapêutica. O diálogo que se vai estabelecer entre mãe, pai, filha e filho abre novas narrativas, e as histórias ainda não contadas podem ser criadas mutuamente. O fato de narrarem suas histórias em grupo proporciona uma grande motivação na busca de novos caminhos, a ponto de Moreno (1992) afirmar que um membro do grupo é agente terapêutico do outro.

Nesse sentido, pode-se citar Hoffman (1981), que se refere à importância de se "falar com e não para ou sobre o outro". Portanto, a violência, ao ser construída na interação com as pessoas, deverá ser desconstruída no grupo por meio de uma prática participativa e conjunta, uma ação interventiva que postule a integração de fatores pertinentes à compreensão da complexidade dos sujeitos e de suas tramas, de maneira integrada aos seus contextos.

Considera-se que as forças de cooperação entre as pessoas, isto é, a saúde coletiva, são biologicamente mais importantes que as forças de destruição. A decisão de trabalhar em grupo com essas pessoas, além de primordial, deve-se ao fato de haver no Brasil uma grande população vulnerável que necessita de atendimento; um grande número de crianças e adolescentes que sofrem abuso sexual e maus-tratos e muitas vezes esperam dois anos para ser atendidas; poucos profissionais disponíveis para esse tipo de clientela, por ser um trabalho que requer decisão, disponibilidade interna e uma preparação tanto teórica quanto emocional. Além disso, temos clareza de que a metodologia psicodramática sustenta teórica e metodologicamente o trabalho em grupo. Pode-se ainda considerar que os atendimentos em grupo são mais eficientes que os individuais, por promoverem e incentivarem a proteção.

Segundo Harlene Anderson (2011), o grupo é considerado a matriz de desenvolvimento dos papéis de mãe, pai, filha, filho, avós, ou uma "comunidade de aprendizagem" – abordagem de educação relacional não hierárquica na qual cada um de seus membros, inclusive o educador e o aluno, contribui para a produção de mais aprendizado e conhecimento para a sua integração e aplicação, dividindo as responsabilidades; baseia-se na suposição de que o conhecimento é uma construção social e a experiência coletiva de aprendizado é transformadora.

A ética moreniana é um conjunto de princípios que emerge do grupo e da consonância das relações grupais. É no palco psicodramático que esse modo de atendimento e seus instrumentos são explorados e utilizados, quando o sofrimento da pessoa pode se transformar em possibilidades e a abrangência dos recursos relacionais se converte para o protagonista. A metodologia psicodramática leva à compreensão da complexidade relacional de grupos, junto com a percepção da singularidade do sujeito e das redes de afeto e comunicação do grupo.

Trabalhar com famílias utilizando a metodologia psicodramática nos mais diversificados contextos – na comunidade, na instituição pública, na clínica, na escola ou no hospital – exige do profissional uma ampliação da escuta e da visão para poder organizar sua prática, transitando entre o microcontexto do universo particular de cada família e o macrocontexto de uma sociedade em constante mudança.

A perspectiva psicodramática estimula os membros da família a criticar suas ações e refletir sobre elas, construir um novo olhar para sua interação com os demais membros e deixar de ver o mundo, as situações e as relações como algo dado, natural. O movimento do grupo, as descrições de suas narrativas e suas histórias de vida, contadas na conversação, darão as diretrizes, os procedimentos, os princípios e as modalidades de intervenção.

As escolhas dos modos de intervenção iniciais se arriscam a cada momento a ser atropeladas pelos acontecimentos do processo. Chamados a realizar essa prática, os participantes rompem com o constituído e tentam pesquisar maneiras de resolver os problemas e as vivências que os afetam intensamente, como as situações de violência na família.

Moreno (1972) afirma a importância e a força do protagonismo grupal na transformação da realidade dos participantes do grupo (famílias). Oferece caminhos possíveis de intervenção e os citados instrumentos do *role-playing* e do duplo, muito utilizados para articular e criar novos sentidos e significados na vida relacional dos pais, mães e filhos, a fim de diminuir as forças destrutivas da violência. Esses recursos contribuem para o desenvolvimento dos papéis de terapeuta, pai, mãe e filhos – inicialmente, na preparação da equipe, e posteriormente, com os pais e filhos –, pois promovem o processo conversacional.

3. ADAPTAÇÃO DO CUIDADO VIGILANTE PARA O ATENDIMENTO A FAMÍLIAS QUE CONVIVEM COM MAUS-TRATOS E VIOLÊNCIA SEXUAL

Ao organizar e revisar as experiências de atendimento de famílias em locais públicos, comunitários e institucionais ao longo de vários anos, os resultados apontaram para uma ressignificação da prática clínica. Foram incorporados aspectos socioeducacionais e socioterapêuticos para criar uma prática mais revitalizada e potencializada, na tentativa de obter relações mais horizontalizadas, porém não desautorizadas, rompendo com a fragmentação das especialidades.

Buscou-se um trabalho mais específico, focado em situações emergentes, reunindo em um grupo todas as famílias com demandas de violência sexual e maus-tratos. Nesse grupo, uma família apoia a outra, numa ajuda mútua. A estratégia é eficaz, apesar de o tempo dedicado a essas famílias ser pequeno em relação às suas necessidades e à sua disponibilidade para o trabalho.

O desafio foi grande, pois tivemos de coordenar todos os aspectos das experiências advindas das adversidades e vulnerabilidades vividas pela clientela atendida nas instituições públicas;

atender no tempo disponível às necessidades prioritárias das famílias; inovar mudando o atendimento individual para o atendimento grupal; confirmar a importância do trabalho com a família quando se tratava de violência; fortalecer a confiança de mães, pais, crianças e adolescentes quando contavam suas histórias.

Dessa confluência de conhecimentos e possibilidades surgiu a abordagem do cuidado vigilante (CV) com um protocolo adaptado à realidade brasileira e aplicado a um grupo de famílias, com a participação de pais, mães, filhas, filhos, avós.

Descreveremos uma experiência de intervenção psicossocial, em formato grupal, que cria o circuito de proteção às vítimas de abuso sexual e maus-tratos. É importante considerar que o atendimento às famílias que sofrem esse tipo de violência está previsto pelo Conselho Nacional dos Direitos da Criança e do Adolescente e no Plano Nacional de Enfrentamento da Violência Sexual Contra Crianças e Adolescentes (Brasil, 2013).

O protocolo que apresentaremos pode ser adaptado para atender a outro tipo de população, em diversos contextos e dificuldades, e até mesmo ao relacionamento entre pais e filhos na vida cotidiana e nas escolas.

Nas intervenções, os instrumentos apresentados no capítulo anterior facilitam a participação de múltiplas vozes, autorizando novas conexões entre os fatos vividos. A partir das interações, revelam-se as situações, as pessoas envolvidas e os outros. Os diálogos da família construídos de forma não violenta, dada a compreensão dos pais de como devem proteger seus filhos e cuidar deles, levam em conta a resistência pacífica e a legitimidade da autoridade parental. Assim o CV pode ser considerado uma metodologia de mudança. Os problemas se resolvem quando se criam maneiras de sentir, perceber, pensar e agir em dada situação. Os recursos interacionais dos interlocutores se manifestam nas diversas situações que podem surgir, tornando a experiência compreensível.

Em um primeiro momento, toda a equipe que vai lidar com a população vulnerável, com suas dificuldades ligadas ao abuso sexual e aos maus-tratos, será treinada nos papéis de terapeuta, mãe, pai e filho.

Todos os membros da equipe são chamados de ego auxiliar e treinados para desenvolver habilidades, sensibilidade e percepção dos sentimentos presentes nas situações de abuso sexual e maus-tratos. Os egos auxiliares são extremamente importantes para ajudar as famílias na expressão das narrativas vividas e em sua ressignificação, advinda da compreensão das dimensões e das particularidades dessas formas de violência.

Em diversos momentos da aplicação do protocolo, pais e mães conversam com os filhos face a face. São conversas difíceis, truncadas e bloqueadas de tal forma que, se não houver um ego auxiliar que faça o duplo do filho e/ou dos pais, a conversa se encerra em minutos, sem atingir as dimensões afetiva, emocional e cognitiva próprias dessas vivências, impossibilitando a construção de novos arranjos relacionais entre eles.

O ego auxiliar é aquele cuja sensibilidade, possibilitada pelo treinamento de suas percepções, pode captar a essência do que o filho ou os pais querem dizer um ao outro mas não conseguem, em virtude de o modo de ser e ver de cada um estar cristalizado. Os egos auxiliares colaboram para que a conversação seja mais reflexiva, atualizada, informacional, capaz de se libertar das amarras que impedem novas organizações e situações.

A família é considerada um recurso metodológico para explorar as perspectivas existentes na criação de contextos de vida favoráveis e alternativos, mais justos e pertinentes. Todos os participantes são objeto e sujeito na investigação de suas demandas e de seus sentidos de vida e na reconstrução das responsabilidades funcionais e seus desdobramentos. Construir conjuntamente exige troca de experiências, respeito mútuo e aceitação do saber, do modo de expressão e da cultura do outro. Essa prática contém uma expectativa de construção e organização do mundo interno dos participantes, uma vez que promove um processo social crítico. Tal ação partilhada e conjunta de corresponsabilidade é a grande concepção da abordagem psicodramática.

Gregory Bateson (1972), assim como Moreno (1972), defende que as fronteiras do indivíduo não são limitadas pela pele, mas abarcam tudo aquilo com que o sujeito interage. Esse espaço social, que é o universo relacional do sujeito e constitui sua rede pessoal e social, está presente no contexto psicodramático da experiência de intervenção, a qual tem a peculiaridade de converter modos de poder, presentes nos contextos de violência, em modos de autoridade partilhada, construindo, assim, um círculo de reciprocidade e uma presença parental acolhedora e protetiva.

A proposta moreniana passa por etapas como aquecimento, ação propriamente dita e comentários. Para essa materialização, situa-se nos três contextos da ação dramática – o social, o grupal e o dramático – e ampara-se em instrumentos como diretor, egos auxiliares, protagonistas, cenário e plateia. O psicodrama tem um viés teatral, e essa teatralidade tem o objetivo de desconstruir as conservas culturais, os preconceitos e os discursos dominantes que reduzem a ação espontânea e criativa da proposta.

Os atores, autores e o público são a própria família, o que dispensa situações violentas que interferem nas interações intrafamiliares e com outros, deixando marcas e sofrimento, e recicla situações e narrativas que querem incorporar à sua experiência.

4. A PROPOSTA METODOLÓGICA: O PROTOCOLO DO CUIDADO VIGILANTE

Nesta proposta, define-se protocolo como uma maneira de abordar determinada situação, ou seja, o problema. Assim, o protocolo é um mapa ou guia para conhecer as narrativas de violência que interferem no relacionamento familiar em todas as combinações possíveis – mãe-filha, pai-filho, mãe-filho, pai-filha, avó-neto e assim por diante. É um recurso para tratar o sofrimento que compõe o discurso de cada envolvido na situação e as possibilidades de transformação desse discurso dominante em realidades possíveis.

O acesso às famílias e a aplicação do protocolo do CV têm lugar em uma instituição pública de saúde, como ocorre no citado Cepav Jasmim, responsável pela notificação dos casos de violência contra crianças e adolescentes. Do modo como é aplicado nessa instituição, o CV propõe uma intervenção psicossocial que desenvolva os cuidados parentais. Conta com três modalidades distintas, correspondentes ao ciclo de vida dos usuários e às especificidades da demanda.

1. **Conversas construtivas e responsabilidade relacional em situações de violência**: o grupo compreende cinco encontros com duração de duas horas e meia cada um. Essa é a modalidade descrita neste livro.
2. **Proteção contra situações de violência na primeira infância, por meio de treinamento parental**: o grupo compreende três encontros com duração de duas horas e meia cada um.
3. **Construção de parcerias colaborativas entre pais de crianças em situação de violência**: o grupo compreende três encontros, também com duração de duas horas e meia cada um.

As três modalidades são desenvolvidas com uma média de dez famílias convidadas, conduzidas por uma equipe multiprofissional, com atuação interdisciplinar. Essas modalidades, que ocorrem duas vezes por ano, foram organizadas pela equipe profissional do Cepav Jasmim em parceria com a Universidade de Brasília (UnB) e supervisoras de estágio dessa universidade que mantêm pesquisas nesse programa. Este visa expandir os vínculos relacionais das famílias e ampliar o universo informacional, social e cultural por meio de grupos de atendimento e da formação de redes. Os grupos possibilitam o atendimento concomitante de diversas famílias e oferecem aos usuários a oportunidade de elaborar suas dificuldades em conjunto, reconhecer sua autoria na ressignificação das histórias e apropriar-se do conhecimento coletivo, construído por todos, com efeitos terapêuticos.

As famílias que participam do protocolo do CV chegam à instituição encaminhadas por diferentes instâncias: justiça, assistência social, rede de garantia dos direitos da criança e do adolescente e escola. Segundo o cronograma anual da instituição, as famílias são acolhidas periodicamente com o intuito de organizar o atendimento psicossocial que ocorrerá a seguir.

As sessões de cada modalidade acontecem quinzenalmente, intercaladas por encontros de supervisão, e versam sobre uma temática específica, com base em um planejamento prévio. As atividades realizadas em cada modalidade e sessão não são fixas, mas seguem um roteiro, um protocolo, e a equipe tem liberdade para adequá-las de acordo com as necessidades apontadas pelos usuários dos programas e o tema do dia. As práticas realizadas, fundamentadas em teoria que as legitima, pretendem envolver as famílias no tratamento das vítimas de abuso sexual e maus-tratos, a fim de maximizar o comprometimento de todas as partes e minimizar o risco para todos. O grupo ou comunidade de aprendizado é formado pelas famílias que buscam o Cepav Jasmim e pela equipe de profissionais treinados para aplicar o protocolo do CV.

A equipe constitui-se da pesquisadora responsável pelo trabalho com as instituições e da equipe de técnicos do próprio Cepav Jasmim, composta por psicóloga, assistente social, estagiária de serviço social, médico, enfermeiro e pelos menos dez alunos matriculados nas disciplinas de pesquisa e atendimento à família e casais da UnB. A composição da equipe resulta das demandas das famílias atendidas. Os atendimentos iniciam-se individualmente ou com cada família, para triagem e encaminhamento à modalidade apropriada.

Deve-se ressaltar que, paralelamente, a instituição aplica outros programas de atendimento a várias modalidades de violência, como a doméstica e a praticada por agressores sexuais adultos e adolescentes.

As famílias são atendidas pela equipe técnica do Cepav Jasmim em duas entrevistas, para que conheçam as circunstâncias do atendimento em grupo, para os profissionais apurarem os principais motivos que as levaram ao serviço – quem as encaminhou, quais são as suas prioridades, sua disponibilidade de tempo para acompanhar os filhos – e para preencher os dados do prontuário. Assim, nesse primeiro momento do encontro, os profissionais da instituição são capazes de fazer uma avaliação intra e interpsíquica, que lhes permite ouvir, sentir, ver, estranhar e reconhecer as múltiplas formas de relacionamento, – agressões, sofrimento, desamparo, incompreensão, violência física, abuso sexual e maus-tratos.

Trata-se de uma preparação da família para estar no contexto grupal a seguir. O calendário dos atendimentos é elaborado pela equipe técnica e pela pesquisadora, uma vez que são organizados três programas. Então, as técnicas fazem ligações para avisar as famílias a respeito das datas.

O treinamento da equipe antes da aplicação do protocolo compreende quatro estágios.

1. Leitura e discussão de textos relacionados com os pressupostos teóricos do CV, compreensão da abrangência das teorias de resistência não violenta, sistêmica, construcionismo social, psicodrama e suas aplicações, metodologias e funcionamento.
2. Conversa sobre os casos que serão atendidos e o motivo de as famílias terem sido encaminhadas para o programa.
3. *Role-playing* com toda a equipe para desenvolver os papéis de terapeuta, pai, mãe e filho.

4. Treinamento do papel de ego auxiliar e principalmente da técnica do duplo, para desenvolver a sensibilidade e a percepção de sentimentos presentes em casos de abuso sexual e maus-tratos.

Após o término de cada sessão, a equipe se reúne para apresentar suas impressões e avaliar como cada um está saindo do encontro. Como o atendimento ocorre quinzenalmente, é intercalado por encontros de supervisão, coordenados pela pesquisadora. Discutem-se as dificuldades e se faz uma correspondência do que é vivido com os pressupostos teóricos da proposta do CV. Com base nos acontecimentos do dia, também se organiza a sessão seguinte.

PROCEDIMENTOS

A aplicação do protocolo, na forma de intervenção grupal, ocorre em cinco sessões de duas horas e meia cada uma, com datas de atendimento predeterminadas e a proposta de convocar até dez famílias, compostas de mãe, pai, filhos, avós.

1. *Apoio telefônico*

Esse procedimento acompanha todo o protocolo.

a) São realizados dois contatos telefônicos entre membros da equipe e mães, pais e filhos antes do início do processo, com o objetivo de explicar como será a intervenção e que pessoas estão convidadas a participar e de lembrá-los da data agendada.
b) Os demais contatos são feitos semanalmente pelos estagiários, com o objetivo de manter os participantes motivados,

conversar com os familiares sobre o que aconteceu no encontro anterior e incentivar os pais a cumprir em casa os momentos de aproximação com os filhos.

c) Os contatos telefônicos após o término do processo continuam semanalmente pelo período de um mês, com duração média de 15 minutos.

d) Após dois meses do término da intervenção, as famílias são convidadas a voltar à instituição para uma devolutiva presencial de acompanhamento, ou *follow-up*.

2. *Carta da mãe ou do pai aos filhos*

Uma sugestão do que poderá ser dito aos filhos pelos pais que recebem ajuda dos integrantes da equipe é a seguinte: "Estou em um grupo de mulheres e homens, mães e pais, cujos filhos ou filhas foram abusados ou maltratados por outros homens ou mulheres. Nosso objetivo é nos tornarmos mais fortes como mulheres e mães e como homens e pais, de modo que o ocorrido não se repita no futuro. Estamos aprendendo a proteger a nós e aos nossos filhos. E quero começar a proteger você". No segundo encontro do protocolo do CV, só as mães e os pais participam. É uma oportunidade para que escrevam uma carta pessoal aos filhos.

3. *Confecção do presente simbólico aos filhos*

Mães e pais confeccionam uma pulseira de miçangas e um pingente. O presente e sua entrega constituem um ritual simbólico, uma promessa de que vão se manter ligados aos filhos. Enquanto os genitores confeccionam o presente e conversam entre si, as crianças e os adolescentes permanecem em outra sala com os membros da equipe conversando sobre como se proteger.

4. *Carta aos apoiadores*

A equipe faz uma sugestão do que poderia ser uma carta, e os pais podem elaborar seus textos como quiserem para entregá-lo à pessoa escolhida para dar apoio. "Querida comadre, você sabe que estou vivendo um momento difícil com umas coisas que aconteceram aqui em casa, e estou pedindo ajuda. Minha filha Juju passou por umas coisas ruins e agora estamos em um grupo no Cepav Jasmim. Quero que você venha me ajudar com ela. A reunião será na terça-feira, dia 15, às 15 horas. Por favor, conto com você. Tonica e Juju."

5. *Orientações escritas com as etapas do CV*

Os participantes recebem por escrito uma explicação das etapas do CV, para que possam utilizá-las quando necessário.

6. *Follow-up*

Esse encontro de acompanhamento, realizado dois meses após o término da aplicação do protocolo, tem o objetivo de saber como estão os membros de cada família e quais foram as mudanças ocorridas no período.

SESSÕES E TEMAS

O protocolo do cuidado vigilante define um tema, objetivos, procedimentos, recursos e técnicas utilizados em cada sessão, conforme explicado nos itens a seguir.

Primeira sessão – Acolhimento do grupo

A primeira sessão serve para acolher o grupo. Todos os participantes devem comparecer.

Objetivos

- Conhecer as mães, os pais, os filhos e a equipe que vai conduzir o protocolo.
- Promover a integração entre as famílias e a equipe.
- Explicar o protocolo, conhecer o CV e suas etapas.
- Esclarecer o contrato: calendário, atestados de comparecimento, horários.
- Assinar o termo de consentimento livre e esclarecido (TCLE).

Procedimento

- Atendimento, pesquisa e esclarecimento.
- Formação de vínculos.
- Protocolo do CV: compreensão e possibilidades de estarem presentes e juntos.
- Etapas do CV: atenção aberta, atenção focada e proteção ativa.
- A importância das mães e dos pais e seus papéis no CV.
- Enquanto os adultos conversam sobre os temas acima, crianças e adolescentes brincam no centro do grupo, em um tapete com jogos de montar.
- Avaliação da sessão pelos adultos e pelos filhos.

Recursos e técnicas

Aquecimento: jogos de apresentação.

- Escolher uma palavra (substantivo ou adjetivo) que indique

algo bom e interessante para cada um – por exemplo, uma característica que comece com a letra do nome da pessoa.
- Escolher uma estação do ano que fale sobre si: verão, primavera, inverno ou outono.
- Cada pessoa anda pela sala observando as outras e escolhe uma que prefira a mesma estação do ano que ela.
- Dramatização: conversação.
- Roda de conversa: como se sentiram no grupo e quais comentários gostariam de fazer?

Segunda sessão – Nós, mulheres e homens, e nossas histórias

Apenas pais e mães devem comparecer a essa sessão, que lhes dá a oportunidade de falar das violências sofridas pelo filho e por eles mesmos e de se conscientizar de seus papéis em tal situação.

Objetivos
- Promover um bom contato dos participantes.
- Conversar sobre as violências vividas pelos filhos e seu significado.
- Conversar sobre as violências sofridas por eles próprios ao longo da vida e seu significado.
- Ajudá-los a ter uma relação melhor com os filhos e a sentir-se mais fortes juntos.
- Experimentar e preparar-se para boas vivências no futuro.
- Conversar sobre responsabilidades e competências.
- *Role-playing* do papel de pai e mãe.
- Elaborar a carta para os filhos coletivamente.

Procedimento

- Perguntar como estão, como foi retornar ao programa.
- Como se sentem com outras pessoas que também vivem situações como a deles.
- Conversar sobre a semana com os filhos.
- Encorajar e apoiar os participantes a falar sobre as experiências de abuso sexual e maus-tratos vividas com os filhos e seus significados.
- Encorajá-los a falar das próprias experiências de violência em sua vida.
- Conversar sobre o agressor: onde ele está, sua responsabilização e a relação de convivência da família com ele.
- Elaborar a mensagem para os filhos (pequena carta).
- Sensibilizar a todos para que experimentem o *role-playing* da conversa com os filhos sobre violência, que ocorrerá no encontro seguinte.
- Preparar os pais para entregar aos filhos a mensagem do grupo e reparar alguma situação já vivida com eles, expressando sua percepção.
- Mães e pais devem assumir a lição de casa: conversar todos os dias com os filhos, mostrando que dão atenção a eles e os consideram: "Eu noto que você [...]". Perguntar aos filhos o que aconteceu durante o dia: "Como foi na escola hoje? Eu não quero controlar você, apenas te dar atenção, porque você é muito importante para mim e porque eu te amo". Mãe e pai mostrarão aos filhos que, de agora em diante, estarão presentes em sua vida.
- Mãe e pai começam a perceber que "nós todos somos vítimas, juntamente com nossos filhos".

Recursos e técnicas

- Mães e pais recebem ligações dos membros da equipe.
- Aquecimento: todos fecham os olhos e pensam nas violências sofridas pelos filhos e por eles mesmos.
- Dramatização: conversa sobre a sua vivência e a dos filhos.
- Todos ouvem as expressões a seguir e avaliam se elas ajudam a criar uma identidade para o grupo, orientando-se para o futuro: "Nós, mulheres e homens, decidimos romper com o ciclo de vitimização"; "Nós, mulheres e homens, decidimos nos fortalecer por meio da ajuda aos nossos filhos e a nós mesmos"; "Nós, mulheres e homens, juntos, podemos nos fortalecer".
- Mães e pais começam a se conscientizar do que houve com os filhos e com eles mesmos: "Nós, mulheres e homens, estamos aprendendo a ver o que está acontecendo e a notar nossos filhos".
- Mães e pais começam a se dar conta de que "nós todos somos vítimas, juntamente com os nossos filhos"; "estamos todos, homens e mulheres, no mesmo barco".
- *Role-playing.*
- Conversa sobre a sessão.

Terceira sessão – Presença parental

O tema da terceira sessão é a presença parental. Todos – pais, mães, filhos, avós – devem comparecer.

Objetivos

- Ajudar mães e pais a desenvolver habilidades de conversação com os filhos e falar de situações difíceis.

- Conversar sobre o abuso e os maus-tratos vividos.
- Conversar com todo o grupo sobre as etapas do CV, a presença da mãe e do pai junto dos filhos, as demonstrações de cuidado e a não escalada da violência.
- Compreender e significar a vivência com a violência.

Procedimento

- Os pais devem contar como se sentiram ao realizar a tarefa de ler a carta para as crianças e os sentimentos despertados quando perceberam as reações dos filhos. Estes também devem comentar.
- Mãe, pai e filhos deverão sentar-se uns de frente para os outros e conversar, ajudados pelos egos auxiliares (*role-playing*).
- Todos relatam a respeito do abuso sexual e dos maus-tratos: como reagiram à situação, como se perceberam vítimas dessa violência e como se sentem atualmente.
- Mãe e pai precisam se conscientizar de que a coordenação da nova forma de convivência será deles e tomar atitudes que demonstrem aos filhos sua presença e a vontade de estar bem com eles.

Recursos e técnicas

- Mães e pais receberão um telefonema dos membros da equipe.
- Aquecimento: mães e pais falam de sua disponibilidade para estar perto do filho que foi vítima de violência e ajudá-lo a organizar uma nova convivência em casa.
- Dramatização: *role-playing*.
- Comentários: ações coordenadas para as etapas do CV e a contenção da violência.

Quarta sessão – A mãe e o pai que fui, a mãe e o pai que quero ser

Esta é a oportunidade de pais e mães conversarem sobre as experiências vividas, as oportunidades de futuro e como viverão a partir de agora. Todos os participantes devem comparecer.

Objetivos

- Ressignificar a experiência como oportunidade positiva. O sofrimento vivido leva a mudanças.
- Treinar uma nova conversação entre mães, pais, filhos com a ajuda dos egos auxiliares – *role-playing* do papel de mãe e pai que fui e quero ser.
- Confeccionar um presente para os filhos, sinalizando os novos tempos.
- Entregar o presente e afirmar as promessas.
- Escolher juntos os apoiadores do CV para o encontro seguinte e escrever uma carta para eles.

Procedimento

- Mãe, pai e filhos, frente a frente, têm outra conversa. No *role-playing*, mães e pais dizem aos filhos o que sentem e pensam sobre a mãe e o pai que têm sido e como querem ser: "Quero lhe dizer que sinto muito por não ter conseguido proteger você"; "Quero me tornar uma mãe [ou um pai] capaz de cuidar e proteger meu filho"; "Eu amo você e quero fazer tudo que esteja ao meu alcance para aquilo não voltar a acontecer".
- Filho: "Foi difícil sentir que não fui protegido por você. Eu via você quieto(a) diante do que acontecia comigo".
- Mãe/pai conta que em sua vida também houve agres-

sões, abusos e violência. Falar de sua condição de mulher/homem triste e do desejo de se tornar mãe ou pai de seus filhos.

- Mãe/pai reconhece sua atitude passiva diante da situação de abuso sexual e maus-tratos.
- Mãe/pai diz ao filho que reconhece que não cuidou dele, não porque não goste dele, mas porque também não lhe deram cuidado, não cuida de si mesmo(a) e/ou foi abandonado(a).
- Mãe/pai fala com o filho sobre sua vida e como venceu todos os sofrimentos e diz que acredita que ele também poderá conseguir uma vida melhor. O filho também diz aos pais que se sentiu muito abandonado e não acolhido por eles.
- Mãe/pai e filhos conversam sobre o futuro; os pais reconhecem que os filhos também são seres humanos como eles e têm vida própria.
- Como cuidar do corpo – mãe/pai deve dizer aos filhos sobre como se cuidar.
- A mãe e o pai devem confeccionar o presente para os filhos.
- Contato grupal com a tarefa de escolher duas ou três pessoas da família extensa, ou amigos da mãe e/ou do pai e dos filhos que estejam dispostos a apoiá-los nas situações difíceis.
- A equipe ajuda os pais e os filhos a escrever uma carta para os apoiadores, explicando-lhes sobre a situação da filha ou do filho, suas preocupações e a necessidade de buscá-los quando se sentirem ameaçados. Os apoiadores serão convidados a participar do encontro seguinte.

Recursos e técnicas

- Mães e pais vão receber ligações dos membros da equipe.
- Aquecimento: mãe/pai contam que se dispuseram ao longo da semana a conversar com os filhos. Todos conversam sobre a nova ideia que têm um do outro: "Estou aprendendo a ser uma mãe melhor. Não uma supermãe, mas uma mãe mais presente do que antes, transformando o sentimento de agora e vendo que o sofrimento não foi em vão, e melhorando a sensação do passado"; "Vou cuidar de você e ajudá-lo a sair dessa opressão"; "Vi o que você fez e fiquei muito contente"; "Ontem você cuidou do seu irmão e eu gostei muito"; "Vi que você chegou da escola triste, e estou aqui para você me contar o que aconteceu, se quiser".
- Os pais realizam um ritual em que fazem um presente para o filho, como uma promessa, um símbolo de que são capazes de cuidar dele no futuro.
- Comentários: no ritual da entrega do presente, as mães e os pais vão dizer em voz alta o que aquele presente simboliza e o que desejam para os filhos no futuro.

Quinta sessão – Encontro com os parceiros do CV

O tema da quinta sessão é o encontro da família com os apoiadores e a ampliação de redes. Mães, pais, filhos e apoiadores do CV devem comparecer.

Objetivos

- Acessar a rede de apoio da família.
- Realizar o encontro das famílias com seus apoiadores e parceiros do CV.

- Conversar sobre os objetivos e as etapas do CV, como transcorreram os encontros e a responsabilidade que os apoiadores e parceiros terão de agora em diante.
- Conversar em subgrupo: cada família e seus apoiadores devem conversar sobre o que ocorreu, onde estão os agressores, como agir se estes retornarem à casa ou voltarem a ser violentos e como os apoiadores podem ajudar.
- Dar aos filhos uma carteirinha de identidade confeccionada pela equipe, na qual constam seus dados mais importantes e os telefones de contato da instituição para chamadas de emergência em caso de dificuldades relativas à violência sofrida ou do retorno do agressor à casa.

Procedimento

- Conversa em grupo: mães, pais, filhos e apoiadores devem conversar sobre os objetivos do programa e dos encontros.
- Depois, mães e filhos, em subgrupo com os apoiadores, conversam sobre sua vivência de violência e o que pensam a respeito da possibilidade de participação dos apoiadores, do agressor e se este eventualmente voltaria à casa.
- Voltam todos ao grande grupo.

Recursos e técnicas

- Mães e pais recebem ligações.
- Aquecimento: explicação das etapas do CV e de como as famílias e os apoiadores devem realizá-las.
- Troca de telefones e contatos.
- Dramatização: conversa em subgrupo dos pais, filhos e apoiadores: "O que fazer se o agressor voltar à casa?"

- Papel da família e dos apoiadores.
- Comentários: avaliação do trabalho e confraternização.

REFLEXÕES SOBRE A EXPERIÊNCIA

São muitos os aspectos a considerar no enfrentamento da violência. Para ilustrar este tópico, contamos dois casos entre tantos – histórias e relatos das mães, de sofrimento e desespero da família quando não encontram resposta à situação que estão vivendo.

> — Eu não sei [chorando]. Eu não sei... Ela parou de comer com 3 anos. Eu trabalhava, aí levei ela na emergência e fui na clínica. Aí a médica falou para mim que alguém tinha mexido com ela. Eu não entendi, mas tudo bem. Aí ela mandou levar a F. para o psicólogo... Levei. Só que, em seguida, parei de trabalhar, aí ela mudou muito o comportamento e tudo, né? E, assim, a médica não se aprofundou e eu também não, porque pra gente... é o normal, para qualquer pessoa, violência se vê no estrago, né? Eu nunca vi nada na perereca. Nada. E com 6 anos ela começou a falar coisas sem lógica, tipo "tô sentindo pinto na boca, mãe".
>
> — Ai, tá, F. Onde você ouviu isso?
>
> — Não ouvi.
>
> Aí começou muito frequente, muito forte mesmo.
>
> — Mãe, tô sentindo pinto na boca. Mãe, eu tô sentindo alguém passar a mão na minha perereca.
>
> Coisas assim que não tinham nada a ver. Eu imaginei que fosse na escola.

— Mãe, ninguém me falou, ninguém.

[*choro*] Tudo que eu falava ela batia a porta do quarto... muito nervosa e falando essas coisas, assim, sem lógica, né? Aí eu dei uma surra nela, pra ela me contar, porque lá em casa eu sempre falei: "Nós somos amigas, você tem que conversar comigo. Se alguém falar pra você não contar pra sua mãe, aí é que você tem que contar, porque essa pessoa não é boa. Que quem é bom não fala pra você esconder coisas da mamãe, não". Aí, ela falou assim pra mim:

— Mãe, a senhora pode me matar, pode bater na minha cabeça, mas ninguém falou".

Aí, como ela já tinha consulta, eu conversei com uma endócrino, aí ela falou que a F. tava precisando de um psiquiatra e um psicólogo. O psicólogo eu consegui lá, o psiquiatra, não...

***

Quando descobri, ela já tava quase de três meses de gestação do abuso, aí teve Justiça, aí o aborto, aí... eu tava passando por um momento de tratamento de depressão, então isso caiu como uma bomba e destruiu toda a minha família. Porque, depois disso, ele foi embora, sumiu. Quando eu descobri, também quis matar ele, mas não deixaram. [...] Eu trabalhava à noite, numa empresa terceirizada; trabalhava noite sim, noite não. Então, o dono do lote fez isso com ela. Quando eu descobri, ela já tava de três meses. Pelo fato de a convivência não ser boa, eu chegava do serviço, ia cuidar das obrigações, e ela se isolou. Então, todo mundo viu, menos eu. Então, eu me sinto muito culpada nessa relação. Porque quando eu descobri, aí já teve que ser internada, fazer aborto. Não tinha opinião própria, né? Porque pra Justiça são eles que decidem. Ela tinha 13, ela fez 14 agora em maio. Tem mais ou menos um ano. Eu também já fui abusada quando criança... com uns 8, quase 9 anos. Só que, tipo, naquela época, mãe não conversava com filho. Passei a vida toda sozinha, a gente veio embora pra aqui. Aí, chegou aqui, além de eu ter sido abusada, eu quase fui estuprada também. Tudo isso eu criança, 7, 8 anos. No interiorzinho, não tem nem como você esquecer, porque eu andando na rua quase fui estuprada, botaram meu nome de resto de estuprador... [*emocionada*] Aí, todo lugar que eu passava falavam: "Ó aquela menina resto de estuprador..." Aquilo me perseguiu por muito tempo, até eu conseguir me livrar, e a gente veio embora pra aqui, aí eu vim... tive meus filhos... Aí meu marido me batia, me estuprava. No final, eu descobri. Não chegou a fazer nada com a minha filha, mas ficava passando a mão nela...

***

Quanto à dinâmica das famílias que abusam de seus filhos e os maltratam, existem vários jogos relacionais que desembocam em negligência, descuido, maus-tratos, violência de diferentes espécies, dificuldades conjugais e uma confusão por conflitos emocionais e sexuais. Quando se trata de violência sexual e maus-tratos, todos da família são vítimas, direta ou indiretamente. O tempo e as ações de apoio são fundamentais para o restabelecimento da vida familiar.

O protocolo aplicado nessa intervenção permitiu, por meio da intervenção grupal, pensar, organizar e dar sentido ao mundo social de famílias em vulnerabilidade. Foi um modo de ressignificar o momento da vida e promover possibilidades de convivência nas famílias, apesar da violência sofrida.

A ideia de ter um protocolo que organizasse o trabalho, a princípio, parecia tolher e dificultar a relação com o grupo, impedir que o transcorrer da intervenção fosse ao mesmo tempo eficaz e alentador e propiciasse um novo modo de relação entre pais e filhos. Tem-se a impressão de que um protocolo dificulta o trânsito entre a cognição e a conversação, entre as emoções e a organização do trabalho, entre a intuição e o significado do vivido – e que tudo isso prejudica a tomada de decisões, tão importante no momento da intervenção.

Edgar Morin (2005, p. 47) expressa essa ambiguidade, ao iniciar a experiência com esse novo modo de intervir.

> A vida está tecida de prosa e poesia. A poesia não é só um gênero literário. É também um modo de viver a participação, o amor, o fervor, a comunhão, a exaltação, o rito, a festa, a embriaguez, a dança, o canto, que transfiguram definitivamente a vida prosaica feita de tarefas práticas, utilitárias e técnicas. Assim, o ser humano fala duas linguagens a partir de sua língua. A primeira denotativa, objetiva, fundada na lógica do terceiro excluído. A segunda fala ocorre por meio da conotação, dos significados contextualizados que rodeiam cada palavra, das metáforas, das analogias. Tenta traduzir emoções e sentimentos, permite expressar a alma [...].

São exatamente essas as primeiras impressões ao aplicar o protocolo do CV. Tal como foi concebido, é uma maneira de olhar para uma situação e dimensão, um mapa ou guia que ajuda a família a fazer sua narrativa da violência, com a intenção de legitimar e resgatar a principal função dos pais, cuidadores e figuras proativas na vida dos filhos. Um protocolo pode ser rígido, estático, mas pode também coordenar um trabalho.

Vale ressaltar a importância de os profissionais se engajarem nas particularidades necessárias ao serviço que escolheram e acreditarem no potencial e nas mudanças que a família pode alcançar, aliados na iniciativa de pôr as mãos a serviço do todo. Com esses requisitos, garante-se um protocolo à altura da complexidade da situação e maneja-se a ordem e a organização, o singular, o unitário e o coletivo, bem como o jogo emaranhado e infinito das interações e retroações. Assim, concluímos que a complexidade não está na sociedade, mas em cada átomo do mundo humano, como afirma Morin (2005).

A intervenção transcendeu o âmbito cognitivo que motiva uma investigação científica. Passou a comprometer os profissionais com a realidade social e os convocou à responsabilidade relacional entre pais, mães e filhos. A violência sexual e os maus-tratos são temas de difícil acesso, mas a intervenção revela às famílias o seu potencial para a transformação, para a autonomia, o fortalecimento e o protagonismo em seus projetos futuros. Não se trata de esquecer as violências sofridas ou minimizar seu impacto, mas reconhecer os processos de mudança recursivos e presentes nas famílias, que podem ser ativados por uma mediação comprometida com o diálogo e a reflexão.

Outra importante questão é que o protocolo permitiu às famílias compreender que o primeiro passo não as levaria aonde queriam ir, mas as tiraria de onde estavam. As famílias puderam perceber o perigo de acreditar em uma história única e atentaram para a importância de reconhecer também as histórias dos filhos e incluir em sua vida a conversa com eles como um processo significativo. Segundo Harlene Anderson (2010), a capacidade transformacional da conversação apoia-se na natureza dialógica e em sua capacidade de relacionar os fatos da vida a significados novos e diferentes.

As famílias ficam alarmadas diante da necessidade de encontrar novas formas de dialogar sobre passagens difíceis e vergonhosas de sua história. Porém, ao perceber que não era importante contar o que viveram, mas descobrir junto com a equipe, conhecer e criar novos significados e, portanto, buscar um futuro diferente, a conversação passou a ser uma narrativa pessoal de identidade (Shotter, 1993), permitindo uma transformação do *self* narrativo, ou seja, a autoconsciência individual.

Essa mudança do *self* narrativo permitiu às famílias perceber que a base do desenvolvimento saudável dos filhos é a capacidade de fazer trocas constantes e colaborativas, reverenciar suas histórias e legitimar a presença dos pais como cuidadores e autoridade circunscrita àquele contexto. A elaboração de uma metodologia conversacional para intervenções com potencial terapêutico visou dar às famílias instrumentos de diálogo, promover a proteção da criança e do adolescente e atender às suas necessidades em desenvolvimento.

A primeira sessão em detalhe

Mães e pais costumam ficar inibidos na sessão de acolhimento, a primeira. Não gostam de estar naquela situação, pois têm a clareza de que falar da situação dos filhos é falar de si próprios, já que obviamente algo acontece naquela família. É raro ver homens que são pais nesses encontros – apenas dois ou três. Chegam em silêncio e pouco falam. As mães, embora envergonhadas, sentem necessidade de falar, pois ainda é melhor que se calar. As crianças ficam dependuradas principalmente nas mães e se escondem atrás delas. Esse contato físico não mostra muito afeto, mas vergonha, medo. Os jogos dramáticos vivenciados na primeira sessão ajudam as mães e os pais a se sentir um pouco melhor e criam um espaço interno para desviar esses pensamentos que os atormentam. Com o passar do tempo, os filhos começam a se desgarrar dos pais e se juntar às outras crianças e adolescentes. O grupo se aquece e já podemos até ver sorrisos e algumas crianças brincando. Após as apresentações, um grande tapete, jogos e brinquedos são colocados no centro do grupo para as crianças, que se esbaldam com as demais. E tudo fica bem.

Naquele momento, eles se sentem protegidos, rodeados pelos pais e pelos profissionais, que querem que eles se deem conta da atenção e do cuidado que estão recebendo. Ao chegar a hora de ir para casa, relatam que querem continuar ali.

Os pais debatem com atenção as características do CV e começam a ter uma noção maior do programa. Estando no grupo, o que ouviram na primeira entrevista com as técnicas do Cepav Jasmim ganha outros contornos. Agora que tudo vai se concretizando, alguns passam a gostar muito da ideia e colocam grande esperança no trabalho, enquanto outros resistem, referindo-se ao horário, às datas, à incompreensão dos patrões e tantas outras questões, que vamos resolvendo uma a uma até termos o grupo todo pronto para iniciar o trabalho. Nesse primeiro encontro, é comum termos a clara percepção de quem estará ali até o final e de quem não conseguirá, por dificuldades emocionais e pessoais.

Os estagiários, muitas vezes, se sentem angustiados por não conhecer bem o contexto de vulnerabilidade das famílias e precisar estar atentos para captar as sensações de cada uma delas. Essa é uma atividade necessária, pois estarão muito perto delas, como egos auxiliares, para ajudá-las a encontrar novos caminhos e perspectivas. Assim, vários estagiários necessitam de ajuda para vencer os próprios obstáculos.

As crianças e os adolescentes muitas vezes são levados ao atendimento sem saber o que acontecerá ou para onde vão. Dizem aos pais coisas como "não sei por que eu tô aqui", "ninguém me explicou por que eu vim pra cá", "fico morrendo de vergonha do que a senhora está falando", "quero ir embora".

É sempre muito difícil para os filhos conversar sobre o que aconteceu com eles, pois têm de enfrentar pessoas desconhecidas e ainda seus familiares, que nunca conversaram sobre aquelas questões. A criança tem dificuldade de mostrar sua dor e passa pela situação de vergonha pública.

As palavras ditas no atendimento pela mãe não representam as coisas que a criança ou o adolescente viveu, mas mesmo assim têm vida, porque trazem sentimentos, sensações, percepções. Elas reconstituem a situação porque agregam um conjunto de sentidos e valores. A partir daí, filho, mãe e pai começam a se enxergar e se olhar com base na relação que se estabelece naquele contexto. Por isso, o ambiente precisa ser amoroso e afetivo. Daí a importância de preparar a criança para que ela se conecte com o processo e com as pessoas que ali estão (Grandesso, 2010; Rasera e Japur, 2007).

As mães, principalmente, tentam calar-se por algum tempo para superar o sofrimento, que parece indissolúvel. Os poucos pais se sentem intimidados de participar, pois pensam que aquele lugar de tratamento deve ser das mães e das crianças, não dos homens. Os meninos dificilmente revelam aos pais as violências sexuais vividas, que ocorrem quase sempre em ambiente extrafamiliar, mas alguns conseguem revelar os sofrimentos de maus-tratos quando as agressoras são as mães. Em geral, ainda são poucas as investigações sobre a violência de gênero que incluem vozes masculinas. Embora se saiba que há um aumento progressivo da violência sexual nos meninos, pouco se tem estudado sobre essas vítimas (Hohendorff, Habigzang e Koller, 2012).

A segunda sessão em detalhe

Só as mães e os pais devem ir à segunda sessão, mas, como quase sempre não têm com quem deixar as crianças, acabam levando-as. Então, elas brincam na sala ao lado com alguns estagiários e uma técnica do Cepav Jasmim. Entre as brincadeiras, eles aproveitam o tempo para conversar com elas sobre como se proteger e cuidar do corpo. Se as crianças são de idades muito diferentes, o grupo é dividido.

Os pais e as mães perguntam novamente sobre o trabalho e sobre o CV, e vamos respondendo e conversando sobre o que falaram com os filhos depois da sessão anterior. Eles têm muita dificuldade de conversar com os filhos; até acham necessário, mas sentem vergonha. Dizem também que não sabem como iniciar a conversa; além disso, os filhos nem sempre se interessam, pois muitas vezes apenas os pais querem falar.

Nesse segundo encontro, o grupo começa a despertar para novas habilidades de conversação durante os telefonemas dos estagiários, que perguntam como foi a semana, se conversaram com os filhos e como isso se deu.

Aqui, mães e pais também contam histórias que viveram com os filhos relativas à violência. São histórias duras, difíceis. Muitas vezes, não acreditam nos filhos; em outras, os filhos não querem contar o que aconteceu; ou então alguns pais querem matar quem violentou a criança, enquanto outros não sabem onde estão essas pessoas que fizeram tão mal a ela. Encorajados a falar de suas experiências de violência, começam a perceber que estão contando a mesma história, com outros personagens e em outros tempos. Estão se preparando para entrar em conversação com seus filhos na sessão seguinte. Conversam sobre o agressor, como responsabilizá-lo e tantas outras coisas pertinentes. Muitas emoções afloram: medo, raiva, indignação, decepção e sentimentos ambivalentes.

Ao compreender como seria a intervenção e as etapas do CV, uma mãe diz: "Eu achei muito bom porque, mesmo que você more na mesma casa, você nunca conhece bem sua filha. Sempre sua filha esconde alguma coisa. Então, para chegar até ela, é muito difícil... Então, para mim era muito difícil o tabu de eu chegar e falar de sexo com os meus filhos. Eu ficava imaginando: 'Como eu vou falar isso?' Faltava enfiar a cara no chão..."

As famílias em situação de violência têm dificuldade de comunicação e se isolam da rede de apoio. Preferem não se aproximar de pessoas conhecidas do círculo familiar e de profissionais, o que causa grandes transtornos para elas mesmas e, sobretudo, para a vítima (Serafin *et al.*, 2011; Omer *et al.*, 2013; Marra e Costa, 2018; Marra, 2015, 2016). A conversa sobre esse tema provoca muita vergonha e sofrimento: "É difícil expor minha situação sem pensar se as pessoas não vão me condenar". A tentativa de manter o abuso sexual em segredo deixa as mães mais sensíveis e contribui para que a vítima e a família mantenham o isolamento e comportamentos agressivos, pois o segredo perpetua a vitimização (Omer, Schorr-Sapir e Weinblatt, 2008).

Ao longo do segundo encontro, ao contar suas experiências, as mães vão se dando conta de que a vivência relatada pela filha foi também algumas vezes vivida por elas na infância, e que a violência assume outras formas além da sexual. Por isso, contar suas experiências e aproximar-se das filhas por meio do *role-playing* leva-as a ampliar a reflexão e a responsabilidade pelo processo do CV. Para realizar as etapas do CV, os pais devem assumir a responsabilidade de se aproximar dos filhos, permanecer no processo até o final e entender que a proposta alia vigilância e presença afetiva positiva para ter sucesso (Omer, 2011; Marra, Omer e Costa, 2015; Omer e Fleury, 2020a e b). Vale destacar a importância da responsabilidade relacional, que diz respeito à atuação da equipe que aplica o protocolo do CV, possibilitando um ambiente flexível para compartilhar em voz alta diálogos internos e privados (Anderson, 2010; Grandesso, 2018, 2019), e também à disposição das mães e dos pais de refletir sobre suas atitudes em relação aos filhos e a outros em um espaço que agora é público e servirá à revelação de suas dificuldades.

As mães que sofreram abuso sexual contam que passaram a vida toda com medo de que o mesmo acontecesse com as filhas. Para elas, a virgindade é um valor cultural ainda bem forte, sendo, portanto, mais importante do que aquilo que verdadeiramente se passa com a filha e do que todo o sofrimento causado pela situação. Quando esses pensamentos surgem, as mães têm dificuldade de estar presentes na vida da criança, o que impede uma atitude parental vigilante, de atenção e proteção perceptíveis, transmitindo aos filhos seu envolvimento positivo.

Os pais não contam sua história de violência sexual; falam de violência física e de outros tipos. A masculinidade é aqui compreendida como um constructo sócio-histórico, tendo por base o aprendizado contínuo de práticas consideradas "masculinas". A obrigação de afirmar qualidades ditas viris – ligadas ao uso conspícuo da violência física e do sexo – concorre para uma enorme vulnerabilidade dos homens. Inúmeros agravos à sua saúde estão relacionados com o aprendizado da masculinidade, inclusive condutas que colocam em risco tanto a sua vida quanto a de seus pares. Pesquisas no âmbito da saúde coletiva demonstram as altas taxas de homicídios e acidentes de trânsito entre adolescentes do sexo masculino (Gomes, Nascimento e Araújo, 2007).

Depois de se sentir mais confortados uns pelos outros e reconhecer que estão no mesmo barco, esses pais relaxam e, às vezes, contam situações engraçadas, como o que desejariam fazer com os agressores. A conversa segue um pouco esta linha: onde está o agressor, se já foi notificado, se há possibilidades de voltar à casa, como essa família vive sem sua presença e como estão convivendo com o espectro da violência desde então.

Agora que já têm clareza de como será o trabalho, de seus objetivos e do que significa o CV, estão prontos para escrever a carta a seus filhos com a ajuda dos estagiários e das técnicas do Cepav Jasmim. A equipe dá um exemplo de como pode ser a carta, mas deixa a cargo da mãe ou do pai escrever o que gostaria de dizer aos filhos. O mote da carta é convidar os filhos a participar dos encontros e contar que a convivência e os cuidados com eles aumentarão. Os estagiários podem auxiliar o pai e a mãe e também sugerir que gravem uma mensagem de áudio no celular e a levem para o filho ouvir. Depois de lerem a carta ou ouvirem juntos o áudio, deverão conversar em casa.

Na sequência, mães e pais vivem a primeira experiência do *role-playing* na aplicação do protocolo. Num primeiro momento, alguns se recusam a assumir os papéis, e os estagiários o fazem em uma situação fictícia, até que os pais se sintam prontos para a experiência. É sempre um momento de muita emoção, aumentada pelo fato de os pais saberem que também será difícil realizar o mesmo tipo de conversa com os filhos. Alguns pais e mães não retornam ao grupo, enquanto outros já compreendem que será muito proveitoso e têm grande esperança de que a relação entre eles e os filhos será positiva. Viver na pele cada situação de enfrentamento dessa violência é mais um passo para ver suas histórias se modificando.

Ser ativo na relação possibilita construir uma história junto com outra pessoa e aproximar-se da experiência dela, embora nunca se consiga compreender por completo o que essa experiência significou para o outro. Moreno (1992) diz que a verdade está entre nós, não em uma pessoa ou outra, mas na interação dinâmica entre o eu e o outro. O duplo tem enorme potencial de solucionar conflitos, sendo importante nas intervenções psicológicas e sociais, no rompimento e na complexidade dos sistemas. Os egos auxiliares podem fazer perguntas; não perguntas corretas, mas oportunas e coerentes com a incongruência das situações. No processo de tentar compreender, algo diferente se produz. Vincula-se a ação a seus significados, em lugar de comportamentos a seus determinantes.

A *terceira sessão em detalhe*

Todos contam como foi a semana e qual foi a reação dos filhos ao receber a carta. É também muito importante ouvi-los falar junto com os pais. Nota-se claramente como algumas falas são mais expressivas do que outras. Observamos que, nas famílias em que são menos reprimidas, as crianças conseguem se expressar melhor. Já fazem observações importantes e expressam assombro quando os pais falam de algo irreal. Não se trata de saber quem está dizendo a verdade, mas sim de perceber que as crianças querem mostrar o que pensam e como interpretam a situação.

Para alguns, já se passou tempo demais depois dos maus-tratos ou do abuso sexual do filho; isso faz que a proximidade do atendimento lhes gere desconforto por ter de falar novamente sobre aquela experiência. Alguns pais reconhecem que o atendimento pode ser bom e ajudar. O atendimento grupal possibilita mudanças relacionais desde o acolhimento, uma vez que as histórias de uns se juntam às de outros. Os recursos emocionais e conversacionais aumentam, ampliando a aprendizagem para enfrentar outras dificuldades com os demais filhos. Além disso, a rede de apoio também cresce na convivência com outras famílias, o que permite uma nova compreensão acerca da violência e de sua complexidade, do que é proteger e cuidar.

Os maridos ou companheiros sempre esperam que as mulheres cuidem das crianças e dos adolescentes. Essa perspectiva é saturada de preconceitos de gênero, pois a violência mostra nada mais que o exercício da autoridade dos homens sobre as mulheres e os filhos. Ao agir assim, os homens mudam a lógica dos relacionamentos e se atêm à lógica da ordem social vigente.

Na fase da conversação, os estagiários se dividem entre as díades para ajudar as famílias. A habilidade e a sensibilidade do estagiário que acompanha cada díade são essenciais para facilitar o desenvolvimento da conversa. Por isso, é fundamental que eles tenham passado pelo *role-playing* de pai, mãe, filho e terapeuta. É preciso deixar que pai e filho e as demais combinações, como mãe e filha etc., possam, num primeiro momento, narrar sua história, fazer queixas e expor as dúvidas para que o estagiário perceba como fazer as intervenções. A conversação quase sempre termina em abraços e grande emoção.

O movimento afetivo muitas vezes parte das crianças e dos adolescentes. Nesse espaço e tempo, pais e mães já compreenderam a importância de seus papéis, da função que devem ter com os filhos e da responsabilidade relacional da família. Entenderam que o papel de cuidadores vigilantes é seu, que os filhos vão reagir de forma relacional e precisam de cuidados para construir uma relação próxima.

No decorrer das etapas da intervenção do CV, mães e pais se dão conta do que significa proteger – cuidar, exercer as funções esperadas de pai e mãe –, o que implica encontrar a si mesmo. Cuidado é inclusão. Saber proteger é ter capacidade e disponibilidade para estar junto dos filhos, dando-lhes atenção e presença constante; é saber o que se passa com eles; é conversar, acolher seus questionamentos, dar atenção aos seus relatos. É importante mostrar-se proativo na vida dos filhos, transmitindo confiança e promovendo o diálogo. Por outro lado, ao conhecer a realidade da vida do filho, é possível transformar a imagem pública de mãe ou pai diante de outras pessoas. Ao exporem uma situação que até então era privada, aumenta a resistência para falar de dificuldades, medo, dores e da paralisação diante da situação de violência.

Mãe e pai percebem que novos relatos vão se construindo na reflexão sobre o relacionamento com a criança e o adolescente. A ação acontece em grupo, e participar é aproveitar as competências do outro e trocar possibilidades (Moreno, 1972). Constata-se que esse contexto de conversação possibilita relatos alternativos, que ampliam a percepção e a presença qualitativa das relações, empreendendo um diálogo construtivo com competência e legitimidade para o exercício do papel de mãe e de pai.

A proposta do CV tenta conciliar a noção de presença ativa, diálogo aberto e revelação espontânea. À medida que os pais mostram uma presença ativa, diminui o caráter intrusivo na percepção dos filhos (Omer, Schorr-Sapir e Weinblatt, 2008). O cuidado real que permite a "cura" só pode ser construído no grupo, coletivamente, como uma ação terapêutica, uma aliança entre privado e público.

Certa mãe diz à filha: "Sabe o que é, minha filha? Eu não sei se você sabe se cuidar, você não fala comigo. Você sabe se cuidar?" A filha permanece em silêncio. O aprendizado de cuidados pessoais se desenvolve na relação entre adultos e crianças. O autocuidado só passa a existir quando existe o cuidado com os filhos proporcionado pelos pais. As crianças e os adolescentes dependem dos adultos para aprender isso e, quando os adultos se omitem ou transferem essa função para terceiros, esse capital pessoal e social se esvazia.

A partir do terceiro encontro, mães e pais também compreendem melhor os riscos vividos pelos filhos e percebem que podem reduzi-los com sua presença e atenção constantes. Passam a conversar com os filhos e a pautar suas ações de acordo com os passos descritos nas etapas do CV. Diz uma mãe: "Isso é muito importante, porque [minha filha] vinha escondendo as coisas e com medo de eu me aproximar dela. Sempre tinha uma barreira ali que eu não conseguia penetrar, porque ela recuava. Agora, aprendi como chegar nela e ela deixou..." Além disso, os pais se sentiram mais confiantes para buscar um equilíbrio entre o respeito à autonomia dos filhos e os cuidados parentais ao intervirem quando a segurança deles está em risco.

A quarta sessão em detalhe

Já observamos uma diferença nas famílias. Filhas e mães estão muito mais próximas, chegando muitas vezes abraçadas, e os meninos, mais soltos junto dos pais. Estão mais falantes quando damos início à sessão e contam o que fizeram de bom com os pais. Novamente ocorre a conversa face a face entre pais, mães e filhos, e na quarta sessão a conversa se dirige mais para como será a convivência dali para a frente e o futuro da relação. Depois, as crianças vão para uma sala com alguns dos técnicos e estagiários e os pais e as mães conversam entre si enquanto confeccionam um presente simbólico para os filhos.

A conversa entre eles é livre e bastante interessante. Falam dos filhos, do que eles gostam. É uma forma de expressar seus sentimentos, o que raramente ocorre, pois os pais em geral se queixam dos filhos e, quando se encontram, dificilmente dizem coisas boas sobre eles. Diante disso, procura-se reforçar e internalizar essa sensação de bem-estar oriunda dessas falas. As mães e os pais relatam também que não tiveram o cuidado dos próprios pais, de modo que não aprenderam a cuidar dos filhos. Não tiveram o "privilégio do cuidado" para fazê-los sentir-se amados e respeitados.

Nas conversas, a narrativa das mães e dos pais oscila constantemente entre sua vida e a dos filhos, alternado passado e presente. Ao olhar para a frente, veem um futuro que os deixa apreensivos num primeiro momento. A partir das conversas, das etapas do CV e da aproximação com os apoiadores, conseguem notar que essa vivência organiza o crescimento e o amadurecimento da relação da família como um todo. Dão-se conta de que sobreviveram corajosamente e se permitem enxergar alternativas mais otimistas para os filhos (Marra, 2015).

A pulseira de miçangas feita pelos pais simboliza proteção; é um elemento que relembra e reforça acordos, que recria o lugar do corpo, um corpo que antes estava sujeito à violência e à agressão e hoje carrega uma peça artesanal de proteção. Esse elemento é, também, uma recordação de todos os caminhos e propostas que tiveram lugar naquele trabalho terapêutico – não apenas uma transformação nos laços entre mãe, pai e filhos (Lima, 2020).

Se a criança não tem a presença dos pais e eles não constroem juntos suas histórias, esse tempo, além de desagradável, passa a não ter mais sentido para ela; a criança não vê mudança. As histórias precisam estar ligadas à vida da família para ser reconstrutivas e aumentar, com isso, a responsabilidade relacional de todos. Esta é a grande virada: o momento em que a criança ou o adolescente se conecta com os pais, sua família, e sente-se pertencente a ela, podendo ter a certeza de que seu sofrimento vai passar e gerar possibilidades de desenvolvimento contínuo.

Gregory Bateson (1972) fala de "compreender o compreender", ideia de que o desafio terapêutico é contribuir para que a mudança seja narrativamente concebível, alcançável e acreditável. O "ponto de virada" (Lima, 2020), ou apenas "virada", é precisamente o momento de mudança narrativa, que, no entanto, não necessariamente faz parte de uma proposta terapêutica ou de um local voltado para isso, como um consultório ou uma prática grupal. Assim, se o *self* é uma "expressão cambiante de nossa narração" (Anderson e Goolishian, 1988), essa virada, no sentido de mudança narrativa, é um devir – algo que sempre está por acontecer mas já adquiriu novas singularidades narrativas. E, se não é mais a mesma coisa, ainda não é a outra. Nesse caso, também não há completude.

Um ponto de virada importante é o momento da entrega do presente aos filhos. Mães e pais fazem um círculo e as crianças e os adolescentes fazem outro, dentro do círculo dos pais. É como se os pais estivessem gerando ou gestando os filhos de novo, agora com mais sabedoria, compreensão, cuidado e respeito pelo outro da relação, pelas histórias vividas. Trata-se de um espaço e de um tempo ímpares. Todos os pais estão agitados. Cada pai ou mãe deve entregar a pulseira ao filho, colocá-la em seu braço e dizer a ele o que quiser.

E eles dizem coisas muito importantes, como: "Esta pulseira que a mamãe fez é a pulseira da esperança. Da esperança de a gente, de agora em diante, nunca mais se separar. Quero viver sempre te protegendo. Te amo"; "Eu gosto muito de você, e fiz uma pulseirinha vermelha e azul, as suas cores. Quero que você seja sempre minha filha; essa pulseira representa o amor que eu tenho por você"; "Quero te proteger de agora em diante e esta pulseira representa o tanto que aprendi aqui. Que devo cuidar e quero cuidar toda a nossa vida de você". "Sou seu amigo e quero estar sempre perto de você. Vamos fazer as pazes para sempre".

Os filhos também fazem um presente para os pais enquanto estão na outra sala: um desenho que conte como se sentem na família. São desenhos bastante projetivos, que revelam aspectos da relação. Ao entregá-lo aos genitores, os filhos explicam como se sentem com eles e, sempre no final da fala, dizem "te amo". Geralmente, após um silêncio, pais e filhos se abraçam e se beijam. Essa cena representa o desejo de um encontro verdadeiro da família e uma proposta de estarem próximos e terem uma vida mais normal do que antes.

À medida que os encontros grupais iam acontecendo, foram observadas mudanças comportamentais entre os familiares nos corredores do local dos atendimentos. Mães e filhas eram vistas conversando mais à vontade, sem receio de se aproximar fisicamente e tocar-se. As possibilidades de reduzir os conflitos e aumentar o diálogo são reforçadas pela resistência não violenta, que leva a criança e o adolescente a sentir menos desamparo e aumenta as interações positivas (Omer, 2011, 2017).

A percepção mais importante se deu em relação ao exercício do papel de mãe e pai. O protocolo do CV contém uma frase crucial: "Eu não posso te controlar, mas me importo com você e farei tudo que puder para proteger você de todos os danos. Eu te amo e, por isso, vou cuidar de você". Aos poucos, os filhos criam coragem e confiança e entregam-se novamente aos seus cuidados, inclusive o cuidado com seu corpo. O corpo da criança deve ser, a princípio, cuidado pelo pai e pela mãe. Esse é também um jeito de estar presente na vida da criança até que ela aprenda o autocuidado e possa exercê-lo de modo mais responsável na adolescência.

Inicialmente, a atividade grupal gera desconforto e agitação nas mães e nas filhas. Aos poucos, todas vão se engajando e ficando mais à vontade. Mãe: "Essa reunião aqui é boa para levantar a autoestima dela e a confiança que ela precisa criar em mim, depois de tudo que aconteceu... A gente, às vezes, está com a criança dentro de casa, mas não a conhece totalmente... A gente tenta arrancar alguma coisa, mas não sabe como [...]. Estou vigilante. Quer dizer, estou prestando atenção ao que acontece com ela... A gente se preocupa com tantas outras coisas, mas, dentro de casa, se esquece dos filhos. Então, essa conversa mais íntima vai ser de grande ajuda. O grupo do CV vai lubrificando a gente para falar... Então a gente troca ideia, e eu acho isso muito importante. Eu e a minha filha, nossa convivência era horrível".

Na relação grupal, há um elo entre a estima pública e as mudanças na autoestima. Estudos em grupos experimentais mostram que a autoestima dos membros diminui quando a estima pública diminui e vice-versa. Além disso, nos grupos, um membro é sempre o agente terapêutico do outro (Moreno, 1972,

1992). Um dado importante é que nenhum dos pais ou das mães considerou o treinamento do CV uma experiência invasiva ou controladora, mostrando-se receptivos ao receber as instruções.

Quando os pais se despem da autoridade repressiva e se lançam na experiência de uma realidade que tinham medo de enfrentar, essa instigação e a desestabilização os fazem ter uma presença positiva e compreensiva com o filho. A criança legitima essa autoridade e passa a confiar na presença da mãe ou do pai para resolver seus medos e anseios, buscando outro tipo de relação.

Segundo Omer (2011, 2017), a presença pacífica – e não passiva – é o remédio mais eficaz para as dificuldades entre pais e filhos. Ter uma resistência pacífica diante das malcriações dos filhos e de seus descontroles, acessos de raiva e desobediências não é simples. A presença parental vai sendo construída ao longo da existência da criança e do adolescente na relação respeitosa e coerente. A presença parental implica uma decisão, uma autoridade positiva mas firme e atenção às etapas do CV.

Muitas vezes, pais e avós têm dificuldade de dizer com clareza o que estão pensando. Assim, começam a inventar impedimentos que o filho percebe não serem verdadeiros e a desconfiar de que existe algo por trás. As desculpas complicam ainda mais a situação. A conduta submissa dos pais e as reações desdenhosas dos filhos podem provocar uma escalada da violência, com acusações, ameaças e gritos. Um discurso que não legitima nem considera os filhos leva-os a não obedecer aos pais. A resistência pacífica desenvolvida no protocolo do CV oferece uma alternativa: o silêncio presente. Essa aprendizagem evolui na conversação que ocorre nas díades pais-filhos e avós-netos.

Da quinta sessão em diante

Na última sessão, o clima emocional e psicológico nas famílias está visivelmente melhor. Elas chegam mais desembaraçadas, felizes e seguras. Permanecem até o final, e parte dos resultados já é perceptível. As famílias que não conseguiram acompanhar todo o processo voltam a ser chamadas para o grupo seguinte. Se for detectada alguma dificuldade, a equipe as atenderá individualmente.

Os apoiadores são informados das etapas do CV e de suas funções junto àquela família a partir desse momento. Cada família está com seus convidados para conversar sobre a experiência do grupo e o que querem pedir a eles. A volta ao grande grupo é muito proveitosa, pois sempre há algo mais a dizer sobre a complexidade das situações de violência. Ao final, faz-se uma confraternização com bolo, refrigerantes e docinhos trazidos pela equipe do CV.

A barreira na relação surge primeiramente nos próprios pais, pois nunca conversaram sobre tantas questões melindrosas. Falar com os filhos sobre o abuso sexual e os maus-tratos é o maior empecilho. No entanto, sabemos que as histórias narradas refletem mais verdades do que as histórias vividas e, por isso, têm fins terapêuticos. É preciso deixar que as histórias aflorem, sobretudo nos filhos, o que em geral se consegue deixando-os dizer o que sentem e pensam, sem fazer perguntas que interrompam o fluxo narrativo.

Quando as histórias são contadas e recontadas, surge a compreensão, e as mudanças acontecem. Depois de uma mãe dizer várias vezes que não vai abandonar a filha, esta responde: "Mas você foi pro Rio de Janeiro e me deixou. Você me abandonou sim". E chora copiosamente. Ela consegue elaborar o que a mãe lhe disse e relaciona a fala com o que está sentindo. A conversação face a face, com a ajuda do ego auxiliar, propicia variadas formas de deslocamento das percepções da díade. Trata-se de uma forma de conversa criativa e de uma "dança" entre as pessoas presentes – um trabalho com as falas do *self*, atividade simples que foge dos campos discursivos usuais.

Outra história, com outra díade, apresenta-se deste modo:

— Filha, eu quero saber se você quer continuar indo na casa do seu pai. Você quer continuar indo? Por que você não quer?

— Porque não!

— Você não gosta do seu pai?

— Gosto.

— Mas você não gosta de ficar com ele?

— Não.

— Precisa ter um motivo, né?

— Mas eu não tenho nenhum. Só tenho memória.

A estagiária, no papel de ego auxiliar, intervém:

— Filha, antes você ia pra lá e gostava. Agora você não quer ir mais. Você disse que tem memória, mas que memórias são essas?

Isso provoca a reação da filha:

— É do jogo.

O movimento dessa narrativa se assemelha ao de uma dança e suas pausas, nas quais não há propriamente uma relação argumentativa, mas uma interação criativa entre as pessoas, que pode resultar em fins terapêuticos ou não. São experiências de vida, do passado da criança.

Como diz Dann (2002), a experiência é muito mais rica do que qualquer narrativa que possamos elaborar a respeito dela, de modo que, como pano de fundo, existem muitas possibilidades de história além da que se mostra dominante. Portanto, sempre há histórias negligenciadas que, quando instigadas a se transformar em linguagem, produzem novas narrativas que organizam possibilidades existenciais esperançosas. Ao aflorarem, as histórias subordinadas ao discurso dominante permitem construir novas narrativas.

No entanto, conhecer e acessar narrativas partindo de uma postura construcionista social não permite colher histórias fixas e fragmentadas de acontecimentos passados. Pelo contrário, o próprio contar é visto e valorizado como algo que potencialmente introduz mudanças e transformações nos sentidos e nas agências das próprias histórias narradas (Marra, 2015).

A história dominante apresenta uma força contextual, uma vez que delimita um território onde apenas o que se compatibiliza com os fatos privilegiados pela narrativa torna-se perceptível. Cumpre ressaltar que a formação de significados com base nas histórias narradas mostra-se uma construção social constituída pelas audiências significativas com as quais as pessoas compartilham sua vida (White, 2012).

Os apoiadores

Para enfrentar o isolamento da família, busca-se a mediação dos apoiadores ou mediadores – amigos e parentes que têm boa relação com a família. Mães e pais só conseguem aceitar esse recurso quando entendem que essas pessoas, assim como os técnicos da instituição, podem ajudar a proteger os filhos em outros momentos de necessidade, sobretudo o risco de reincidência da violência sexual com a reaproximação do agressor ou o surgimento de outro.

O fato de haver um abuso sexual na família por si só já isola todos do convívio dos pares em função do segredo, que perpetua a vitimização. O recrutamento dos apoiadores é um passo essencial na transição para a resistência não violenta. A revelação do segredo da violência sexual para pessoas além do convívio familiar estrito pode desencadear reações emocionais mais agressivas nos agressores, às quais os pais devem estar atentos para que não ocorra uma escalada da violência.

Os apoiadores mais mencionados foram irmãos mais velhos, avós, tios, professoras e vizinhos. Quando foi possível o contato com os apoiadores, as crianças e os adolescentes permaneceram em silêncio no primeiro momento, em uma expectativa ansiosa. Mães, pais, filhos e apoiadores reuniram-se em subgrupos para conversar à vontade. Nesse momento, foi observado o fortalecimento das mães e das filhas no modo de falar com os apoiadores. Elas diziam se sentir melhor e mais fortalecidas, dando seus testemunhos com a dimensão pública que esse recurso proporciona.

Em situações extremas de opressão, o testemunho pode ser um ato de resiliência extremamente significativo, talvez o único ao alcance das vítimas. O testemunho tem sempre uma dimensão pública e, uma vez que a voz ecoa, possibilita-se o encorajamento e o empoderamento. À medida que os apoiadores se aproximam, crianças e adolescentes se sentem pertencentes àquele grupo e à família. Confirmam que, mesmo violentados e tendo passado por uma experiência tão devastadora, sentem-se reconhecidos e valorizados com a presença daquelas pessoas que convidaram a estar ali. Assim, a conversação subsequente lhes dá a oportunidade de se reconciliar com a própria vida e formar uma perspectiva de futuro.

A mobilização dos apoiadores, com sua manifestação livre de amor e cuidado, aumenta significativamente a percepção de segurança das vítimas. Destaque-se também a importância deles como agentes sociais multiplicadores: essa experiência se difundirá para outros grupos, levando o que aprenderam com o protocolo do CV.

As ligações telefônicas constituíram um meio de apoio a mães, pais e filhos, ajudando-os a romper o isolamento. À medida que o grupo foi evoluindo e os contatos telefônicos quebravam o silêncio da família, os pais se sentiram encorajados a não perder o encontro seguinte juntamente com seus filhos, de quem cada vez mais se tornavam amigos, concretizando a aprendizagem do CV.

ADAPTAÇÃO A OUTRAS POPULAÇÕES

O programa do cuidado vigilante pode ser desenvolvido como tratamento e prevenção. O tratamento poderá ocorrer por vezes em consultórios de psicoterapia com a família; e a prevenção, nas escolas, nos grupos comunitários, em instituições etc. Nos consultórios, podemos treinar díades que envolvam a família toda.

Nas escolas e em outros espaços comunitários, existem diversas possibilidades de díade, como professor-aluno, agente comunitário-participante de grupo, sempre observando os dois princípios mais importantes: presença parental ou de uma autoridade positiva e resistência pacífica, que se desdobram em ultrapassar fronteiras, instaurar a presença do adulto nas áreas de maior probabilidade de violência e estabelecer alianças na comunidade em geral, particularmente com as crianças e os adolescentes.

As práticas negativas vividas por crianças e adolescentes estão sempre ligadas à família, ou seja, dependem de como esta lida com a questão da autoridade e de como os filhos se comunicam com outras instâncias da comunidade. Essas práticas negativas quase sempre se relacionam com a dificuldade de aceitar e conviver bem com os limites impostos a eles.

Se não convivem com uma autoridade positiva na família, os filhos carecem desses limites. Quando precisam corresponder a uma organização com seus limites naturais, entram em desacordo e criam dificuldade, pois querem impor suas vontades sem exercer o papel de parceiros de pessoas em sua faixa etária e daqueles que comandam atividades na condição de autoridade.

Para que professores, cuidadores e agentes comunitários possam trabalhar com essas questões, sobretudo em instituições específicas para jovens, eles precisam de treinamento para lidar com as provocações dos jovens e saber utilizar a resistência pacífica para evitá-las. Necessitam também conhecer os gestos incendiários dos jovens e, ainda, aplicar as cinco etapas do protocolo. Devem anunciar que vão romper com as convenções que os paralisam e resistir àqueles atos destrutivos. Dessa forma, terão impacto decisivo na luta da comunidade escolar ou ampla contra a violência. Assim como na família, é necessário fazer alianças com os apoiadores na luta contra a violência e a autodestruição, já que as alianças aumentam a autoridade e a legitimam, reforçando a decisão de agir.

Além de trabalhar com os procedimentos descritos, é imprescindível não nos esquecermos de manter um ambiente afetuoso e amoroso para que as crianças e os adolescentes se sintam à vontade para permitir a conversação, que constitui a joia dessa intervenção.

CONSIDERAÇÕES FINAIS

O tema do abuso sexual e dos maus-tratos envolve um sofrimento imenso, mas pouco discutido nas famílias, que quase sempre se ocupam de outros interesses, além de manter o silêncio sobre a violência.

A abordagem do CV enfoca a noção de que o silêncio que esconde a violência sexual e os maus-tratos nas interações familiares equivale a perpetuá-los. Portanto, o jogo do falar e do calar-se e as dimensões relativas aos diálogos entre os familiares nos momentos de violência são aspectos que precisam ser transformados. Pais e filhos podem desenvolver novos conhecimentos sobre si mesmos, numa abordagem de cuidado e proteção.

No processo do CV, pais, avós e filhos passam a entender que um fato ou atitude não tem uma verdade única. A expansão da visão na esfera relacional aumenta a presença dos pais na vida dos filhos e, consequentemente, o potencial protetivo das famílias. Pela ampliação de uma consciência crítica, por meio de ação-reflexão, a família confirma a construção de práticas dialogadas, o respeito pelas diferenças e a valorização de maneiras de convivência solidária.

As contribuições teóricas permitiram explicitar a afetividade entre os participantes pela expressão de necessidades, expectativas e preocupações que ultrapassaram os limites da prática clínica tradicional. Ao situar uma ação como contextual, social e política, efetivam-se os alicerces para o empoderamento e a resiliência das pessoas e dos grupos.

O compartilhamento das ocorrências de violência no espaço coletivo foi um fator de aproximação entre as famílias, ampliando suas possibilidades existenciais. Reforçou a vivência dos desafios, reinserindo o sujeito numa relação de intercâmbio com as pessoas com as quais se relaciona, na direção da reconstrução e da ressignificação da violência sofrida. Nessas circunstâncias, conferiu sentido às suas experiências, tendo em consideração a relevância social desse contexto e a urgência de mudar o estado de coisas, minimizando seus sofrimentos e suas inquietações e contribuindo para uma mudança da realidade.

Considera-se a ética nas relações uma ação situada, já que produz efeitos concretos, sendo valorizada quando o ser humano se dá conta de que o mais importante, o que lhe faz bem, é o outro que está em relação com ele. Essa relação se materializa como um instrumento de transformação social.

REFERÊNCIAS

ANDERSON, H. *Conversação, linguagem e possibilidades – Um enfoque pós-moderno de terapia*. São Paulo: Roca, 2010.

_____. "Uma perspectiva colaborativa sobre ensino e aprendizado: a criação de comunidades de aprendizado". *Nova Perspectiva Sistêmica*, v. 20, n. 41, 2011, p. 35-53.

ANDERSON, H.; GOOLISHIAN, H. "Los sistemas humanos como sistemas linguísticos: implicaciones para la teoría clínica y la terapia familiar". *Revista de Psicoterapia*, v. 2, n. 67, 1988, p. 41-72.

ANDOLFI, M. *A terapia familiar multigeracional – Instrumentos e recursos do terapeuta*. Belo Horizonte: Artesã, 2018.

ANDOLFI, M.; MASCELLANI, A. *Historias de la adolescencia – Experiencias en terapia familiar*. Barcelona: Gedisa, 2012.

BATESON, G. *Steps to an ecology of mind*. Nova York: Ballantine Books, 1972.

BRASIL. Lei n. 8.069, de 13 de julho de 1990. Estatuto da Criança e do Adolescente. Disponível em: http://www.planalto.gov.br/ccivil_03/leis/l8069.htm. Acesso em: 30 set. 2020.

_____. Decreto n. 23.812, de 3 de junho de 2003. Dispõe sobre a criação do Núcleo de Estudo, Prevenção e Atenção às Violências (NECepav), 2003. Disponível em: <http://www.saude.df.gov.br/vigilancia-em-violencia/>. Acesso em: 28 jul. 2020.

_____. Plano Nacional de Enfrentamento à Violência Sexual Contra Criança e Adolescente. Brasília: Comitê Nacional de Enfrentamento à Violência Sexual Contra Criança e Adolescente, 2013. Disponível em: <http://crianca.mppr.mp.br/arquivos/File/publi/sedh/08_2013_pnevsca.pdf>. Acesso em: 28 jul. 2020.

Bruner, J. "The remembering self". In: Neisser, U.; Fivush, R. (orgs.). *Emory symposia in cognition, 6. The remembering self: construction and accuracy in the self-narrative*. Cambridge: Cambridge University Press, 1994, p. 41-54.

Costa, L. F.; Marra, M. M. "Impasses na atuação psicossocial com violência e as contribuições do construcionismo social". In: Grandesso, M. A. *Construcionismo social e práticas colaborativo-dialógicas: contextos de ações transformadoras*. Curitiba: CRV, 2019.

Costa, L. F.; Penso, M. A. "A dimensão clínica das intervenções psicossociais com adolescentes e famílias". In: Marra, M. M.; Costa, L. F. (eds.). *Temas da clínica do adolescente da família*. São Paulo: Ágora, 2010.

Costa, L. F. *et al.* "As relações familiares do adolescente ofensor sexual". *Psico USF*, v. 18, n. 1, 2013, p. 33-44. Disponível em: <https://dx.doi.org/10.1590/S1413-82712013000100005>. Acesso em: 28 jul. 2020.

Dann, G. (org.). The tourist as a metaphor of the social world. Wallingford: Cabi, 2002.

Fleury, H. J.; Marra, M. M.; Knobel, A. M. "Social therapy in Brazil". *International Journal of Group Psychotherapy*, v. 65, n. 4, 2015, p. 627-35.

Gergen, K. J. "The social constructionist movement in modern psychology". *American Psychology*, v. 40, n. 3, 1985, p. 266-75.

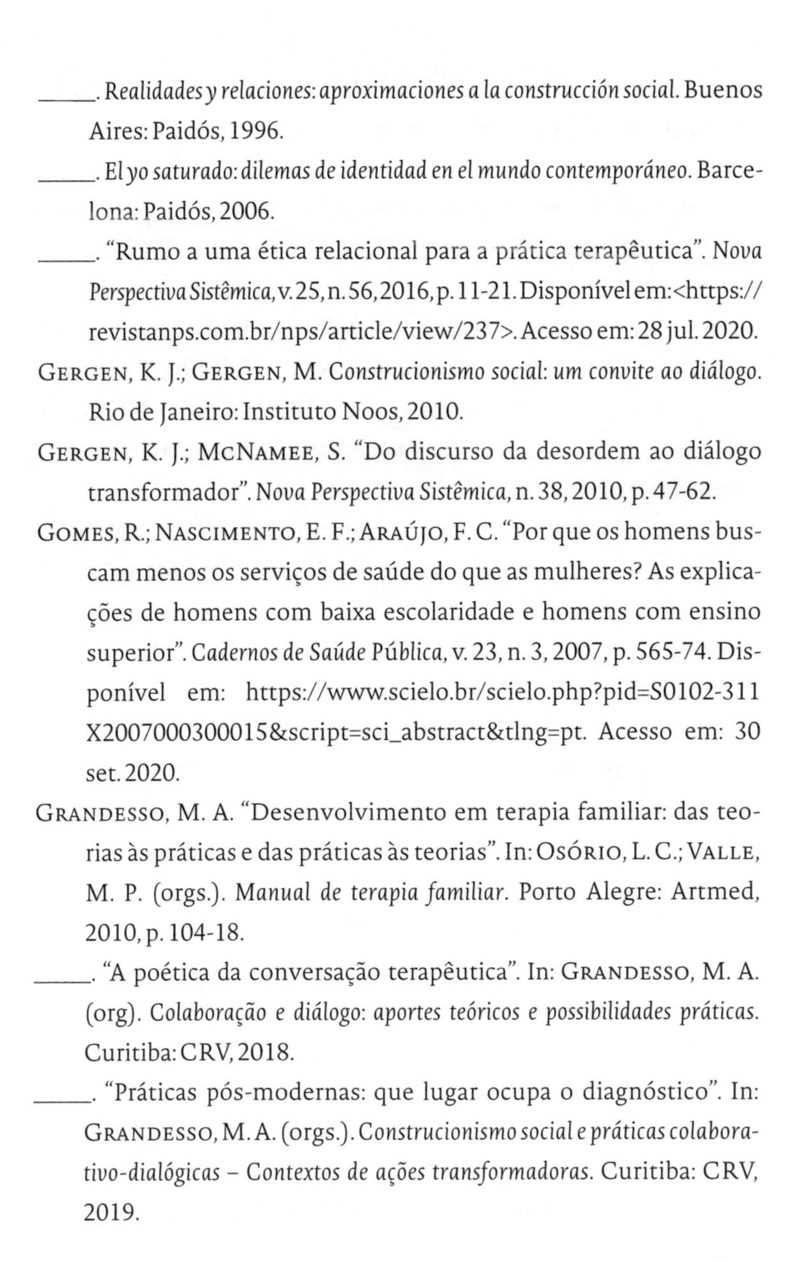

_____. *Realidades y relaciones: aproximaciones a la construcción social.* Buenos Aires: Paidós, 1996.

_____. *El yo saturado: dilemas de identidad en el mundo contemporáneo.* Barcelona: Paidós, 2006.

_____. "Rumo a uma ética relacional para a prática terapêutica". *Nova Perspectiva Sistêmica*, v. 25, n. 56, 2016, p. 11-21. Disponível em: <https://revistanps.com.br/nps/article/view/237>. Acesso em: 28 jul. 2020.

Gergen, K. J.; Gergen, M. *Construcionismo social: um convite ao diálogo.* Rio de Janeiro: Instituto Noos, 2010.

Gergen, K. J.; McNamee, S. "Do discurso da desordem ao diálogo transformador". *Nova Perspectiva Sistêmica*, n. 38, 2010, p. 47-62.

Gomes, R.; Nascimento, E. F.; Araújo, F. C. "Por que os homens buscam menos os serviços de saúde do que as mulheres? As explicações de homens com baixa escolaridade e homens com ensino superior". *Cadernos de Saúde Pública*, v. 23, n. 3, 2007, p. 565-74. Disponível em: https://www.scielo.br/scielo.php?pid=S0102-311X2007000300015&script=sci_abstract&tlng=pt. Acesso em: 30 set. 2020.

Grandesso, M. A. "Desenvolvimento em terapia familiar: das teorias às práticas e das práticas às teorias". In: Osório, L. C.; Valle, M. P. (orgs.). *Manual de terapia familiar.* Porto Alegre: Artmed, 2010, p. 104-18.

_____. "A poética da conversação terapêutica". In: Grandesso, M. A. (org). *Colaboração e diálogo: aportes teóricos e possibilidades práticas.* Curitiba: CRV, 2018.

_____. "Práticas pós-modernas: que lugar ocupa o diagnóstico". In: Grandesso, M. A. (orgs.). *Construcionismo social e práticas colaborativo-dialógicas – Contextos de ações transformadoras.* Curitiba: CRV, 2019.

HOHENDORFF, J. von; HABIGZANG, L. F.; KOLLER, S. H. "Violência sexual contra meninos: dados epidemiológicos, características e consequências". *Psicologia USP* [*online*]. 2012, v. 23, n. 2, p. 395-416. Disponível em: <https://www.scielo.br/scielo.php?pid=S0103-65642012005000007&script=sci_abstract&tlng=pt>. Acesso em: 29 set. 2020.

HOFFMAN, L. *Foundations of family therapy*. Nova York: Basic Books, 1981.

KOLLER, S. H.; DE ANTONI, C.; CARPENA, M. E. F. "Famílias de crianças em situação de vulnerabilidade social". In: BATISTA, M. N.; TEODORO, M. L. M. (orgs.). *Psicologia de família: teoria, avaliação e intervenção*. Porto Alegre: Artmed, 2012, p. 156-66.

LEBOWITZ, E. R. *et al*. "Parent training for childhood anxiety disorders: the SPACE program". *Cognitive and Behavioral Practice*, v. 21, n. 4, 2013, p. 456-69.

LIMA, M. C. A. O. *No ponto imóvel começa a dança – Uma reflexão sobre as práticas dialógicas de Marlene Magnabosco Marra*. Trabalho de conclusão de curso (graduação em Antropologia), Universidade de Brasília (UnB), 2020.

MACNAMEE, S.; GERGEN, J. K. (eds.). *A terapia como construção social*. Porto Alegre: Artes Médicas, 1998.

MARRA, M. M. *O agente social que transforma: o sociodrama na organização de grupos*. São Paulo: Ágora, 2004.

_____. "El construccionismo social como abordaje teórico para la comprensión del abuso sexual". *Revista de Psicologia*, v. 32, n. 2, 2014, p. 219-42. Disponível em: <http://revistas.pucp.edu.pe/index.php/psicologia/article/view/10948>. Acesso em: 30 set. 2020.

_____. *Do espaço privado para o público: construções narrativas com famílias em situação de abuso sexual*. Tese (doutorado em Psicologia Clínica e Cultura), Universidade de Brasília (DF), 2015. Disponível em: < https://repositorio.unb.br/handle/10482/ 19763 >. Acesso em: 30 set. 2020.

_____. *Conversas criativas e abuso sexual – Uma proposta para o atendimento psicossocial*. São Paulo: Ágora, 2016.

MARRA, M. M.; COSTA, L. F. "Caracterização do abuso sexual em clientela do CRAS". *Subjetividades*, v. 6, n. 2, 2016, p. 105-16.

_____. "Entre la revelación y la atención: familia y abuso sexual". *Avances en Psicología Latinoamericana*, [S.l.], v. 36, n. 3, 2018, p. 459-75.

MARRA, M. M.; OMER, H.; COSTA, L. F. "Cuidado vigilante: diálogo construtivo e responsabilidade relacional em contexto de violência familiar". *Nova Perspectiva Sistêmica*, v. 24, n. 52, 2015, p. 77-91. Disponível em: <https://revistanps.com.br/nps/article/view/160>. Acesso em: 30 set. 2020.

MINUCHIN, P.; COLAPINTO. J.; MINUCHIN, S. *Pobreza, institución, familia*. Buenos Aires: Amorrortu, 1999.

MINUCHIN, S. *Família – Funcionamento e tratamento*. Porto Alegre: Artes Médicas, 1982.

MINUCHIN, S.; NICHOLS, M. P.; LEE, W. Y. *Famílias e casais – Do sintoma ao sistema*. Porto Alegre: Artmed, 2009.

MORENO, J. L. *Psicodrama*. São Paulo: Cultrix, 1972.

_____. *Quem sobreviverá? – Fundamentos da sociometria, psicoterapia de grupo e sociodrama*. Goiânia: Dimensão, 1992.

_____. *Psicoterapia de grupo e psicodrama*. 2. ed. rev. Campinas: Psy, 1993.

MORIN, E. *Introdução ao pensamento complexo*. Porto Alegre: Sulina, 2005.

NICHOLS, M. P.; SCHWARTZ, R. C. *Terapia familiar: conceitos e métodos*. 4. ed. Porto Alegre: Artmed, 2007.

OMER, H. *Intervenções críticas em psicoterapia: do impasse ao início da mudança*. Porto Alegre: Artes Médicas, 1997.

_____. *Parental presence: reclaiming a leadership role in bringing up our children*. Phoenix: Zeig Tucker & Theisen, 2000.

_____. *Nonviolent resistance: a new approach to violent and self-destructive children*. Nova York: Cambridge University Press, 2004.

_____. *The new authority – Family, school and community*. Nova York: Cambridge University Press, 2011.

_____. *Resistencia pacífica – Nuevo método de intervención con hijos violentos y autodestructivos*. San Sebastián de Los Reyes: Morata, 2017.

OMER, H.; FLEURY, H. J. *Pais corajosos – Como impor limites amorosos e proteger seu filho*. São Paulo: Ágora, 2020a.

_____. *Pais e filhos em tempos de crise: como construir presença, autocontrole e uma rede de apoio*. São Paulo: Ágora, 2020b [e-book].

OMER, H.; SCHORR-SAPIR, I.; WEINBLATT, U. "Non-violent resistance and violence against siblings". *Journal of Family Therapy*, v. 30, n. 4, 2008, p. 450-64. Disponível em: <https://onlinelibrary.wiley.com/doi/full/10.1111/j.1467-6427.2008.00441.x>. Acesso em: 30 set. 2020.

OMER, H. *et al.* "The anchoring function: parental authority and the parent-child bond". *Family Process*, v. 52, n. 2, 2013, p. 193-206.

RASERA, F. E.; JAPUR, M. *Grupo como construção social: aproximação entre construcionismo social e terapia de grupo*. São Paulo: Vetor, 2007.

ROJAS-BERMÚDEZ, J. *Introdução ao psicodrama*. São Paulo: Mestre Jou, 1968.

SERAFIN, A. P. *et al.* "Dados demográficos, psicológicos e comportamentais de crianças e adolescentes vítimas de abuso sexual". *Revista de Psiquiatria Clínica*, v. 38, n. 4, 2011, p. 143-47. Disponível em: <https://doi.org/10.1590/S0101-60832011000400006>. Acesso em: 2 set. 2020.

SHARP, G. *Gandhi wields the weapon of moral power*. Ahmedabad: Navajivan, 1960.

_____. *The politics of nonviolent action*. Boston: Porter Sargent, 1973.

Shotter, J. *Conversational realities*. Londres: Sage, 1993.

Sluzki, C. A. *A rede social na prática sistêmica: alternativas terapêuticas*. São Paulo: Casa do Psicólogo, 1996.

Tatsch, Constança. "Por dia, 233 casos de violência contra crianças e adolescentes são notificados no país". *O Globo* (online), 16 dez. 2019. Disponível em: <https://oglobo.globo.com/sociedade/por-dia-233-casos-de-violencia-contra-criancas-adolescentes-sao-notificados-no-pais-24141893>. Acesso em: 3 out. 2020.

Unicef. *Selo Unicef*, edição 2017, 2020. Disponível em: <https://www.unicef.org/brazil/selo-unicef>. Acesso em: 30 set. 2020.

Vasconcellos, M. J. E. de. *Pensamento sistêmico: o novo paradigma da ciência*. Campinas: Papirus, 2002.

White, M. *Reescribir la vida: entrevistas y ensayos*. Barcelona: Gedisa, 2002.

_____. *Mapas da prática narrativa*. Porto Alegre: Pacarte, 2012.

Grupo Summus
www.gruposummus.com.br
www.gruposummus.com.br
Acesse, conheça o nosso catálogo e cadastre-se para receber informações sobre os lançamentos.

www.gruposummus.com.br